KB096694

내맘대로 **로마** 자유여행

내맘대로 로마 자유여행

지은이 김정연

발 행 2023년 9월 7일
펴낸이 한건희
펴낸곳 주식회사 부크크
출판사등록 2014.07.15.(제2014-16호)
주 소 서울특별시 금천구 가산디지털1로 119 SK트윈타워 A동 305호
전 화 1670-8316
이메일 info@bookk.co.kr

ISBN 979-11-410-4379-7

www.bookk.co.kr

내맘대로
로마
자유여행

성 베드로 대성당 미사부터
지하철 소매치기까지
로마 속속 탐험기

내맘대로 자유여행 이탈리아 시리즈를 시작하며

"3년 만이다!!"

2020년 5월에 이탈리아에 가려고 항공권과 숙소를 예약했다. 여행책과 블로그를 보며 어디에 가서 무엇을 하고 어떤 것을 먹을지 계획을 짜기 바빴었다. 2019년 스페인 자유여행으로 이제는 더는 패키지로 가고 싶지 않아졌다. 새벽에 숙소를 나와서 내내 버스 타고 졸다가 잠깐 내려서 사진만 찍고 가는 여행은 이제 싫었다.

코로나 팬데믹이 전 지구를 덮쳤다. 항공권은 취소했고, 숙소 예약도 모두 취소했다. 이탈리아에 대한 갈망을 유튜브를 보며 달래왔다, 팬데믹이 엔데믹이 되고, 마스크 쓰기가 더 이상 강제 사항이 아니게 된 2022년 가을부터 "2023년 봄에는 이탈리아에 간다" 라는 마음으로 2023 여행 프로젝트에 착수했다.

갑자기 마음이 내켜서 하는 여행도 있다. 그러나 이탈리아처럼 대륙을 넘어가고 시차가 발생하는 곳은 다른 이야기다. 나는 "아는 만큼 보인다!"는 명언을 믿는다. 내가 미리 알아본 만큼 즐길 수 있다. 팬데믹 이후로 전세계만큼이나 이탈리아도 많은 변화를 겪었다.

3년 전에 꽤 구체적인 여행계획을 세웠었던지라 다시 계획을 세우다 보니 그동안의 물가 인상을 체감할 수 있었다. 숙소비용이 많이 비싸졌다. 항공권은 말하나 마나이다. 입장료도 올랐다. 그래도 다시 여행계획을 짤 수 있음이 감사했다.

동서남북 모든 곳이 보고 싶었지만, 시간과 경비 관계상 정말 보고 싶은 곳으로 루트를 짰다. 그리고 인증사진 찍으러 바삐 가는 그런 여행 말고 로컬여행을 하고 싶었다. 동네 슈퍼에 가서 먹거리를 사고, 서점에 들어가 동네 책 냄새를 맡고, 지나가다가 맘에 드는 음식점에 그냥 들어가 보는 그런 여행 말이다.

"시작이 반이다!" 거의 6개월 동안 계획을 세웠다. 남편과 딸과 함께 17박 18일 동안의 이탈리아를 체험하고 느꼈다. 엄청난 사진과 기념품, 추억 가득한 에피소드와 함께 돌아왔다. 이탈리아 여행의 달고 짜고 쓰고 신 모든 스토리를 풀어 놓으려 한다.

과욕이 참사를 불렀다! 50대인 나와 남편은 긴 여행에 앞서 체력 단련한다고 스쿼트를 하다가, 도리어 허리가 아파졌다. 남편은 어깨가 아파서 여행 두 달을 앞두고 침 맞고 물리치료를 다녔다. 7천 보에서 만 보 걷기만 꾸준히 하면서 준비했다. 파스에 복대에 근육이완제까지 싸 들고 떠났다.

이래서 여행을 잘 다닐 수 있을까 걱정이 많았지만, 결과는 대성공이었다. 가족끼리 다니니 힘들면 쉬고, 아주 피곤하면 숙소에 들어와 잠깐 누웠다가 다시 나갔다. 숙소는 무조건 관광지에서 가까운 곳으로 잡기를 추천한다. 너무 먼 곳에 잡으면 중간에 쉴 수가 없다.

스마트 기기에 밝은 MZ 세대 딸은 구글 지도로 목적지까지 인도하는 여행 가이드였다. 운전이 걷는 것보다 더 쉬운 남편은 토스카나 소도시 여행을 가능하게 해준 베스트 드라이버였다. 여행 시기와 기간을 조율하고 온갖 예약을 담당한 나는 전체 여행 코디네이터였다.

이렇게 서로의 역할에 충실한 우리 삼각편대는 여행 다니는 동안 싸우지 않고 (정말 중요하다!!) 즐기며 다녔다. 인생이 항상 즐거울 수 없듯이 소매치기단을 만나고, 비바람을 정통으로 맞고, 기름은 떨어져 가는데 주유소가 없어 당황하고, 감기에 걸려 종합감기약을 먹으면서도 매일 평균 2만 보를 걸었다.

비행기나 기차 놓친 적은 없고, 돈은 잃었지만 여권은 지켰고, 감기엔 걸렸지만 코로나에는 안 걸렸으니 성공한 여행이다! 매일 2만 보씩 걸으니 도리어 근육통이 없어지는 미라클도 경험했다.

밥 먹을 때만 의자에 앉고, 잘 때만 눕고, 하루 종일 걸어 다니고 움직였다. 걱정했던 허리도 안 아프고 어깨도 안 아프고 심지어 휴대폰 볼 시간도 없어 눈도 안 아팠다.

이번 17박 18일 이탈리아 여행은 내용을 한 권에 다 담을수 없어 3편으로 구성했다. 로마로 입국해서 보낸 7일의 경험을 담은 1편이 '내맘대로 로마 자유여행'이다.

자동차를 렌트해서 토스카나를 3일 동안 여행하고 피렌체에서는 3일을 지냈다. 토스카나 소도시의 아름다움에 흠뻑 빠졌던 경험을 담은 2편이 '내맘대로 토스카나와 피렌체 자유여행'이다.

기차를 타고 베네치아로 이동해서 베네치아에서 3일을 보냈다. 다시 기차를 타고 밀라노에서 2일 더 머물고 출국했다. 물의 도시 베네치아와 패션의 도시 밀라노의 서로 너무나 다른 경험을 담은 3편이 '내맘대로 베네치아와 밀라노 자유여행'이다.

낯선 곳에 가는 것 자체가 새로운 도전이다. 아무리 미리 영상을 보고 책을 읽고 가도, 그 공간에서만 느낄 수 있는 신선한 자극이 있다. 이런 도전과 자극은 직접 여행을 떠난 사람들만 느낄 수 있는 희열이고 특권이다.

도전을 통해 한 뼘 더 성장하고 싶은 사람들에게, 익숙함을 벗어던지고 나의 민낯을 보고 싶은 사람들에게, 여행은 "옜다! 가져가라~" 하듯이 많은 기회를 던져준다. 이런 기회를 찰떡같이 받아먹고 풍성한 인생을 쌓아가기를 바란다. '시간이 없다' '돈이 없다' 같이 우리를 발목 잡을 이유는 차고도 넘친다.

많은 것을 보고 느끼는 여행을 하기 위해 목표를 정하고 계획하기를 추천한다. 계획을 짜다 보면 어느덧 이미 여행을 하고 있는 당신 자신을 발견하게 될 것이다. 이탈리아 여행을 준비하는 당신에게 또는 과거 이탈리아 여행을 돌이켜 보고 싶은 당신에게 즐거움, 설렘, 정보 모두를 만족시켜 줄 수 있기를 바란다.

그럼, 로마로 출발!

프롤로그 | 로마에 끌리는 당신에게

"당신은 왜 로마에 가보고 싶은가?"

맛있는 피자와 와인을 즐기고 싶어서?
향긋한 이탈리아 커피로 아침을 깨우고
시원한 젤라또로 행복한 하루를 만들고 싶어서?
콜로세움과 포로로마노 같은 유적지에서 역사를 느끼고 싶어서?
성 베드로 대성당이 있는 바티칸과
그리스도교의 역사를 말해주는 로마의 성당들을 직접 보고 싶어서?
판테온 같은 로마의 랜드마크에서 인증샷을 찍고 싶어서?

아마도 이 모든 이유가 뒤섞여 '로마'가 궁금해졌을 것이다. 이 책에서는 로마에 대한 이런 궁금함을 다 담았다. 3인가족이 일주일 동안 로마에 머무르면서 걷고, 보고, 먹고, 느낀 모든 것을 담았다.

로마 자유 여행을 준비하는 사람들을 위해 여행 시의 유의할 점과 유용한 정보를 담았다. 정보를 글로 읽을 때와 막상 경험해 보았을 때는 다르게 마련이다. '이런 점은 좋고 이런점은 아니었다'는 직접 가본 식당과 현지 투어의 생생한 후기도 담았다.

가보고 싶은 곳을, 그리고 그중에서도 특히 관심 있는 부분을 볼 수 있도록 로마의 매력을 카테고리로 나누었다. 이 책에 풀어 놓은 나의 경험이 로마에서 할까 말까 망설이는 모든 고민에 대해 도움이 되리라 확신한다.

여행을 준비할 때 제일 처음 하게 되는 숙소 구하기부터 환전은 얼마나 할까? 무엇을 가지고 가야 하나? 하는 사소하지만 머리 아픈 것들도 다 풀었다. 막상 여행 가방 싸려고 하면 무엇이 필요할지 몰라 쌌다 풀기를 몇 번씩 반복했던 경험이 있을 것이다. 꼭 가져가야 하는 것들을 리스트해 놓았다.

여행은 예측불허라 매력적이다. 나름 준비해서 갔는데도 만난 예기치 못한 일과 예방법도 담았다. 나도 겪기 전에는 남의 일이려니 했는데, 아니었다. 남에게 일어날 수 있는 일은 나에게도 언제나 일어날 수 있다. 미리 알고가자!

토스카나 여행을 위해 렌터카를 빌려 떠나면서, 로마에 대한 총정리도 해보았다. 지극히 개인적인 나의 로마 총정리를 보면서, 여러분이 직접 겪어볼 로마를 상상해 보고 여행후 겪어본 로마와 비교해 보는 것도 로마를 즐길 수 있는 또 다른 방법이다.

이제 로마로 떠날 시간이다. 원하는 부분부터 읽으며 로마를 마음으로부터 받아들이기 바란다. 내 마음이 이미 로마에 있을 때 내 몸도 로마에 있게 된다. 준비한 만큼 즐길 수 있고, 아는 만큼 보인다. **로마에서의 찬란한 추억을 만들기 위해 첫 장을 펼쳐라!**

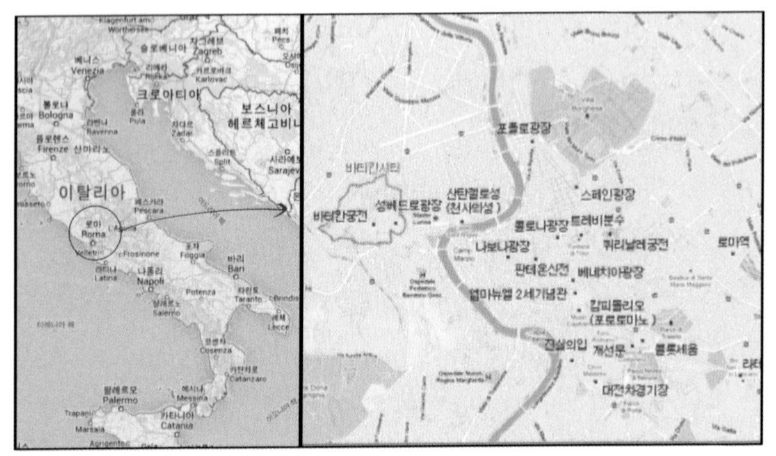
슬로베니아
자그레브
Zagreb
베니스
Venezia
카를로바크
Karlovac
크로아티아
볼로냐
Bologna
보스니아
헤르체고비나
라벤나
Ravenna
풀라
Pula
자다르
Zadar
플로렌스
Firenze
산마리노
스플리트
Split
Sarajevo
이탈리아
페스카라
Pescara
로마
Roma
Frosinone
포자
Foggia
바리
Bari
라티나
Latina
나폴리
Napoli
Potenza
타란토
Taranto
살레르노
Salerno
Lecce
코센차
Cosenza
카탄자로
Catanzaro
팔레르모
Palermo
메시나
Messina
Trapani
카타니아
Catania
Marsala
포폴로광장
바티칸시티
스페인광장
산탄젤로성
(천사의성)
성베드로광장
바티칸궁전
콜로나광장
트레비분수
나보나광장
퀴리날레궁전
로마역
판테온신전
베네치아광장
엠마뉴엘 2세기념관
캄피돌리오
(포로로마노)
진실의입
개선문
콜로세움
대전차경기장

이탈리아와 로마지도

차례

제6장

성당만 봐도 로마에 온 보람이 있다

성당 투어

제7장

이곳만은 꼭 가보자!

로마의 핫플레이스

제1장

여행계획이 필요한 이유

여행 준비는 어떻게 할까?

01 숙소는 어디에 어떻게 잡을까?

#테르미니역 근처 어때?

공항에서 공항열차인 레오나르도 익스프레스를 타면 종착역이 테르미니역이다. 여기서 다시 여행 가방을 끌고 지하철을 타려면 쉽지 않다. 로마에서 숙소를 잡으려고 찾다 보면 대부분 테르미니역 근처에 잡는다. 나도 역시 테르미니역 근처에 숙소를 정했다. 한 군데에서 6박 7일을 묵었다.

테르미니역 근처 숙소를 잡을 때의 장점은,

1. 지하철 이동이 편하다. 테르미니역에서 나와서 근처에 있는 숙소로 이동하면 로마로 들어올 때 그리고 나갈 때 모두 편하다.
2. 테르미니역 정면에 택시 승하차장이 있어 택시 타고 들고날 때 편하다. 그리고 큰 버스 정류장도 있어서 버스 이동도 용이하다,
3. 테르미니역 지하에 슈퍼가 있어 생필품을 쉽게 살 수 있다.
4. 근처에 레스토랑들이 많아 걸어서 식사하러 갈 수 있다.
5. 근처에 빨래방도 많다고 한다. 빨래방은 안 가봐서 잘 모르겠다.

단점은

1. 주변 환경이 쾌적하지는 않다. 역 주변에 노숙인들도 꽤 있고 사람들도 엄청 많아서 경계하게 된다.

2. 교통이 복잡하다. 테르미니역 근처로 거의 차들이 막힌다.

3. 지저분하다. 이탈리아의 수도 로마에, 로마 교통의 중심이 테르미니역이다. 로마 공항으로 들어오는 사람은 한 번쯤은 거쳐가는 테르미니역인데 주변이 어수선하고 지저분해서 깜짝 놀랐다.

4. 항상 시끄럽다. 차도 사람도 많이 다녀서 늘 소음이 발생하는 곳이다. 숙면을 위해 귀마개와 안대를 가져갈 것을 권한다. 로마로 오는 비행기에서 귀마개와 안대 세트를 받았다면 꼭 챙겨라.

로마 시내가 지하철과 버스로 다 연결되기 때문에 어디를 숙소로 잡아도 괜찮다. 여행 가방을 끌고 지하철이나 택시를 탈 것을 고려하면 테르미니역 근처에 숙소를 정하는 것이 좋다. 여행 가방을 가지고 택시를 타면 여행 가방 하나당 추가 요금을 받는다.

내가 선택한 숙소는 드물게 조식 포함인 곳이었다. 처음에 정할 때는 '조식이 있으면 좋고 없으면 그냥 사 먹지'라고 생각했었다. 그런데, 있어 보니 조식의 존재가 상당히 컸다. 아침부터 조식을 사 먹으려고 나가면 십중팔구는 서서 먹게 된다. 일단 앉으면 자릿세를 내는 곳이 대부분이기 때문이다.

다른 옵션으로 그 전날 미리 아침거리를 사 놓을 수 있다. 숙소에 냉장고가 있는지 없는지 꼭 체크해 보아야 한다. 없는 곳이 많다. 조식 포함인 곳이 있다면 또는 조식 제공 옵션이 있다면 꼭 조식을 포함하기를 추천한다. 평상시에 아침을 안 먹더라도 여행하는 동안 하루에 2만 보씩 걸으려면 아침 식사가 꼭 필요하다.

#숙소 예약 꿀팁은?

숙소는 약 5개월 전에 booking.com을 통해 예약했다. 처음에 예약 화면을 켜면 비싼 숙소들만 나타나서 깜짝 놀란다. 그건 광고비를 내는 숙박업소가 먼저 노출되기 때문이다. 놀라지 말고 왼쪽에 있는 필터를 세팅해보자. 나의 경우는 1박당 비용을 $150 이하, 거리는 중심지에서 3km 이내, 환불 가능, 평점 8점 이상을 체크하고 다시 search 했다.

가성비와 거리가 아무리 좋아도 평점 8점 이하는 피하는 게 좋다. 청소상태가 좋지 않거나, 직원의 응대가 친절하지 않거나, 에어컨이나 엘리베이터 등 편의시설이 좋지 않을 수 있기 때문이다. 로마의 건물들은 오래된 건물들이라 엘리베이터가 없을 수도 있다. 무거운 여행 가방을 엘리베이터 없이 끌어올리려면 후덜덜한다. 엘리베이터 유무도 꼭 체크해 보자.

예약할 때 숨겨져 있는 사항들을 꼼꼼히 보아야 한다. 청소비를 받기도 하는데 카드 결제 비용에 포함인지, 카드 결제 후에 따로 청소비를 청구하는지 살펴보아야 한다. 청소비도 숙소마다 천차만별이다. 그리고 시티택스를 받는다.

이탈리아의 모든 숙박업소는 관광객에게 관광세(시티택스)를 받는다. 도시마다 1박당 가격이 다르다. 로마에서는 1인당 1박당 3유로, 토스카나 지방에서는 한 곳은 1유로, 다른 곳은 1.5유로, 피렌체는 역대급 비싸서 5.5유로(그래서 오래 머무를 수가 없었다) 베네치아 3.3유로, 밀라노 3유로다. 잊지 말자! 1인당 1박당이다. 현금으로 준비하기를 권한다.

여행 예정 5개월 전에는 가성비 숙소가 많아서 어디를 예약할까 고민하며 정했었다. 그러다가 2달쯤 후에 일정이 좀 변경되어 이미 잡아 둔 곳을 취소하고 날짜를 변경하여 다시 예약하게 되었다. 그랬더니 가성비 숙소가 거의 다 사라졌고, 내가 예약했던 숙소도 가격이 올랐다. 그래서 오른 가격으로 예약할 수밖에 없었다.

여행 예정 한달 전에 다시 들어가 보니 이제는 비싼 숙소만 남아 있었다. 그래서 해외여행은 즉흥 여행 말고 계획여행으로 가기를 강력히 추천한다. 즉흥으로 가면 비행깃값도 숙소도 비싸고, 보려고 하는 곳의 입장티켓도 매진 되어 있을 확률이 높다.

콜로세움이랑 포로로마노 티켓도 두 달 전에 예약했다. 어떤 사람은 로마에 도착한 후에, 내일이나 내일모레쯤 콜로세움에 갈까? 하는 사람이 있다. 이런 건 완전 비추다. 이래서는 볼 수 없다. 막상 가보면 티켓이 매진이다. 필수항목은 적어도 2달 전에는 다 예약하기를 추천한다.

이런 여러 사항을 고려한 후에 숙소를 결정하게 된다. 어렵지 않다. 다만 시간이 좀 걸리고 화면을 오래 봐서 눈이 좀 아플 수 있다. 내 경험으로는 평점이 괜히 나온 점수가 아니기 때문에 평점이 좋은 곳으로 가면 기본은 한다.

02 현지 투어를 예약해야 할까?

유럽의 많은 관광도시에 현지 투어를 할 수 있는 프로그램들이 많다. 대표적인 곳이 '유로자전거나라'와 '마이리얼트립'이다. 2019년 스페인 자유여행을 갈 때는 별생각이 없이 갔던 터라 이런 현지 투어를 하나도 신청하지 않고 갔었다. 결과적으로 유적지에 대한 정보를 잘 모른 채로 사진만 찍고 온 것 같다는 후회가 살짝 들었다.

예를 들면 경복궁에 갔는데, 이 궁전은 어떤 궁전이고 이 건물은 무슨 건물이고... 이런 스토리를 모른 채 사진만 찍고 온 것과 같다. 그래서 이번에는 현지 투어를 4개 예약했다. 바티칸 박물관 투어, 콜로세움/포로로마노 투어, 이탈리아 남부 투어, 그리고 피렌체 우피치 미술관 투어이다.

마이리얼트립에 가보면 너무나 많은 곳에서 같은 투어 상품을 취급하고 있어서 선택하기가 어려웠다. 그래서 유로자전거나라에 있는 것은 유로자전거나라에서 예약했다. 그리고 유로자전거나라에 없는 콜로세움/포로로마노 투어만 마이리얼트립을 통해 예약했다.

현지 투어는 2-3달 쯤 전에 예약했다. 웹사이트를 통해 예약비를 결제하면 예약이 확정되었다는 연락을 받는다. 그리고 현지 지급 금액은 유로화 현금으로 지급해야 하므로 꼭 유로화 현금을 가지고 가야 한다. 로마에서는 3개의 현지 투어에 참여했다.

처음 참가한 유로자전거나라 바티칸 투어에서 투어 전날 단톡방이 만들어지고 공지사항이 뜨길래 항상 이러는 줄 알았다. 마이리얼트립도 콜로세움 투어 전날 단톡방이 만들어지고 주의사항을 공지했었다.

그런데 남부 투어 갈 때는 아무 연락이 없어서 내가 물어봤다. 왜 공지가 안 오는지, 제대로 예약된거 맞는지 문의했다. 보통은 단톡방이 만들어지지 않고, 정해진 시간과 장소에 가면 된다고 한다.

여행상품을 예약하고 안하고는 개인의 선택이다. 그러나 로마에서 현지 투어를 해보니, 현지 투어를 하는게 좋고, 가이드의 역량이 좋은 회사의 투어를 선택하는 게 중요하다 라는걸 알았다.

가이드 없이 바티칸 박물관에 들어갔다면 어떤 그림이 중요한지, 이 그림은 어느 시대인지, 어떤 의미가 있는지 모른 채로 '다리 아프다.' 하면서 나왔을 확률이 99퍼센트다.

가이드 없이 폼페이에 갔다면 벽에 새겨진 수많은 스토리를 못 읽고 '돌이 많구나' 하고 돌아 왔을 것 같다. 이왕 볼 것 제대로 보려면 현지 투어를 하기를 추천한다. '**제5장 아는 만큼 보인다**'에서 현지 투어에 대한 자세한 경험담을 펼쳐놓았다.

03 나만 모르는 꿀팁은 뭘까?

#현금은 얼마나?

현금을 얼마나 가지고 가는 게 좋을까에 대한 생각은 개인차가 크다. 나의 경우는 투어 프로그램을 예약했기 때문에 현금을 가지고 가야만 했다. 현지 투어에 지급해야 하는 유로화 비용의 총합 플러스 약 2-300유로 정도를 현금으로 준비했다.

대부분은 다 카드 결제가 가능하지만, 현금이 필요한 경우도 생각보다 많다. 아래는 내가 겪어본 현금이 필요한 경우이다.

1. 숙소에 시티택스를 현금으로 내야 하는 경우다. 호텔이나 오피스가 있는 숙소는 카드 결제가 가능하지만, 아파트나 에어비앤비 같은 숙소는 주인을 만날 수가 없다. 그래서 시티택스를 현금으로 식탁 위에 두고 가라고 한다. 이때 현금이 없으면 난감해진다.
2. 화장실 가려면 현금이 있어야 한다. 화장실 사용 비용은 대부분 1유로이다.
3. 유로화를 이탈리아에서 현금서비스로 찾을 때 수수료가 생각보다 만만치 않다. 카드마다 정책이 다르므로 찾아보고 가기를

추천한다. 내 카드의 경우는 액수와 관계없이 기본 수수료 5유로에 찾는 금액의 3-5% 정도를 또 수수료로 내라고 했었다.

4. 교통 티켓을 살 때 현금이 필요한 경우가 있다. 이탈리아의 거의 모든 교통수단은 일단 티켓 기계(키오스크)에서 티켓을 살 수 있다(아래 사진). 키오스크가 알 수 없는 이유로 카드를 거부하는 경우가 있다. 제법 많다. 카드가 안 되면 당황하게 되는데 이때 필요한 것이 현금이다.

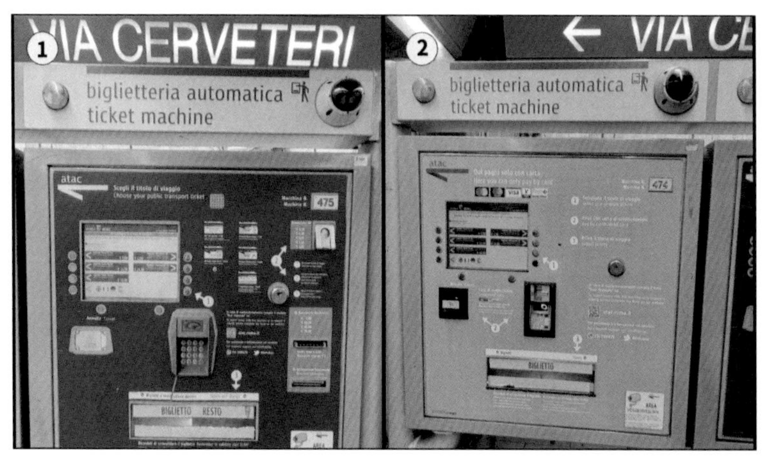

로마 지하철역의 지하철표 티켓머신 1.현금전용 2.카드전용

카드를 여러 개 가지고 다니지 않으므로 카드만 믿고 현금 없이 다니다가 카드가 작동 안 되면 낭패다. 애플페이를 가지고 다니므로 괜찮다고 생각할 수도 있다. 실제로 터치식 카드단말기가 거의 다 보급되어 있다. 신용카드와 애플페이가 있지만 항상 알 수 없는 이유로 안 될 때가 있다.

실제로 기차역에서 티켓을 사려는 데, 우리 일행 3명의 신용카드가 다 작동되지 않아서 안내원에게 물어보았다. 안내원 대답은 "기계 맘대로야~ 아침엔 됐다가 저녁엔 안 되기도 하고.. 알 수 없어" 안내원에 이 말이 웃기면서도 화가 나는 건 그 상황이 닥치면 안다. 이런 경우엔 현금이 답이다

#비상약도 챙기나?

챙겨야 한다. 여행하다 보면 보통 때보다 많이 움직이게 되어 피곤해진다. 피곤해서 두통이 올 수도 있다. 피곤하다 보니 평상시에 안 하던 멀미를 해서 남부 투어 가는 길에 버스 멀미로 거의 시체가 되었다는 이야기도 들었다. 평상시와 다른 음식을 먹어서 소화불량이 되었다는 이야기도 있다.

나의 경우는 여행 기간 동안 비타민C를 먹었다. 이틀 지나자마자 피곤해서 혀에 돌기가 났다. 바로 비타민 C를 먹기 시작했다. 지금 생각해 보면 비타민C를 좀 넉넉히 가져갈걸 그랬다. 내가 먹기 시작하니 남편과 딸도 달라고 해서 세명이 일주일 먹으니 가지고 간 비타민이 다 떨어져 버렸다.

그리고 마지막엔 베네치아에서 딸과 함께 감기에 걸렸다. 가지고 간 감기약이 떨어져서 현지에서 콧물 감기약을 구매했다. 콧물 감기약 한 통에 자그마치 15유로를 불렀다. 감기약을 두통 가져올 걸 하는 후회가 막심했다.

그래서 기본적으로 자기가 약한 부분이 있다면 그 부분의 약과 함께, 진통제 소화제 멀미약 감기약 등은 꼭 챙겨가길 추천한다. 증상이 있다면 변비약이나 설사약도 챙겨라.

#유심칩은?

나는 Arlo라고 하는 App을 통해 eSim을 구매했다. 이동하는 동안 지도도 보고 검색도 해야 하니 데이터 넉넉한 것으로 30기가에 28달러인 것으로 샀다. 그러나, 이탈리아 여행을 다 할 때까지 30기가는 다 사용하지 못했다. 그리고 Arlo는 여기저기 통신사의 통신망을 사용하는 것이라 그런지 인터넷이 잘 연결되지 않았다.

특히 로마에서는 숙소들이 옛날 건물인 것이 문제인지, Arlo가 문제인 건지 와이파이도 거의 안 되고 데이터도 안 터져서 답답했었다. 길에서는 더 잘 되는 데 숙소에만 들어가면 인터넷이 먹통이었다. Tim과 Vodafone을 많이 쓰던데 차라리 통신사가 있는 그런 곳의 유심을 쓰는 것이 더 나을 수 있다.

#화장실?

로마에 가서 한국의 공중화장실을 생각하면 안 된다. 한국의 공중화장실은 머릿속에서 지워라. 여기는 기차역에도 무료 화장실이 없다. 테르미니역에도 유료화장실만 있다. 꼭 가야 할 상황이 되어 유료화장실을 갔다고 치자. 사람이 상주하며 1유로를 받는 곳과 동전을 넣고 자동으로 문이 열리는 곳이 있다.

놀라운 것은 유료화장실도 상태가 좋지는 않다는 것이다. 돈까지 받는데도 관리를 잘 하지 않아서 상태가 별로다. 정말 욕이 나오려고 하는 곳도 있다. 화장실 안에 아무것도 없다고 생각하고 마음의 준비를 하는 것이 좋다. 휴지도 없고 비누도 없다. 오랜만에 미니 티슈와 종이비누를 들고 다녔다.

동전을 넣으면 잠금이 풀려서 들어갈 수 있는 화장실에는, 두 명이 같이 들어가거나 한 명이 나오면서 뒤에 일행에게 문을 열어 들여보내 주는 것을 봤다. 로마 사람들도 이렇게 하고 있었다.

카페나 음식점에 가면 꼭 화장실을 쓰고 나오는 것이 좋다. 가끔은 카페에서 커피를 마셨는데도 화장실이 수리 중이라며 못 쓰게 하는 곳도 있다. 화장실 가기가 이렇게 어렵다 보니 물을 잘 마시지 않게 된다. 이탈리아 사람들이 에스프레소를 마시게 된 것이 커피의 양을 줄여서 화장실에 안 가려고 하는 것이 아닐까?

#그외에...

셀카봉을 꼭 챙겨라. 셀카봉이 너무나 유용하게 쓰였다. 누군가가 나를 찍어주기를 기다릴 수만도 없고 또 그렇게 찍었을 때 내 맘에 안 들 가능성이 높다. 셀카봉은 되도록 길고 가벼운 것으로 준비해서 항상 가방에 넣고 다녀라. 인생 사진을 건지려면 셀카봉은 잊지마라.

선크림은 기본중에 기본이다. 이탈리아는 햇빛이 아주 강렬하고 따갑다. 가는 모든 도시마다 햇빛이 아주 강했다. 그래서 선크림과 모자, 선글라스는 필수다. 이렇게 필수들을 항상 장착하고 다녔음에도 얼굴이 많이 타서 돌아왔다.

가방에 넣고 다녀야 하는 **에브리데이 필수품**은

1. 휴대폰, 보조배터리, 셀카봉
2. 선크림, 모자, 선글라스
3. 손 세정제와 휴지(로마 화장실에는 아무것도 없다)
4. 현금은 여기저기 파우치(화장품 파우치나 이어폰 파우치)에 분산
5. 신용카드는 휴대폰 안에 또는 애플페이나 삼성페이 장착
6. 하루 종일 돌아다니면 목이 마르므로 물병 하나는 필수다.

여행 가방 맡길 곳은 테르미니역 근처에 있다(아래 사진 1). 테르미니역의 왼편에 Luggage Deposit 앞에 여행 가방 맡기고 여행하려는 사람들이 줄을 서 있다. 온라인으로 예약하면 5유로, 아니면 6유로다. 그리고 테르미니역에서 판테온 쪽 면으로 공항 버스가 있다(아래 사진 2). 아침마다 여기서 공항 가려는 사람들이 줄을 서 있다.

날씨는 4월 말 5월 초에 갔는데, 생각보다 **비가 많이 온다.** 비가 오면 운동화가 젖으므로 여분의 운동화를 하나 더 싸가기를 권한다. 덜 마른 운동화를 그다음 날에 신고 나가려면 아침부터 기분이 좋지 않다. 작고 가벼운 접는 우산과 기온변화에 대비한 얇은 가디건 류나 스카프도 하나 넣고 다니면 갑자기 비가 와서 쌀쌀해질 때 큰 도움이 된다.

1.테르미니역 근처의 유료 짐보관소 2.테르미니역 옆 공항버스 타는 곳

이탈리아 여행 갈 때 가지고 갈 것들의 리스트를 보며, 가기 전에 체크해 보는 것은 어떨까? 아래에 표를 참고해 보자.

	가져갈 것	체크
1	여권(의외로 여권을 안가지고 공항에 가는 일들이 많다)	
2	휴대폰과 유심	
3	현금과 카드	
4	겉옷과 양말(다양한 날씨에 대비하라)	
5	속옷(여행중에 빨래를 할것인지를 미리 생각하라)	
6	화장품(썬크림은 필수다)	
7	약(멀미약, 감기약, 비타민C, 그리고 자신에게 필요한 약을 미리 준비해라)	
8	여분의 신발(운동화나 슬리퍼)	
9	안대와 귀마개	
10	보조배터리와 충전기	
11	셀카봉	
12	모자	
13	선글라스	
14	휴대용티슈와 종이비누	
15	휴대용 물병(water bottle)	

이탈리아 여행 체크리스트

제2장

금강산도 식후경

로마의 먹을거리

01 테르미니역에서 물을 사려면?

어디를 가든 슈퍼의 위치를 파악해 두는 것은 필수다. 일단 물을 사 마셔야 하기 때문이다. 물은 탄산수와 탄산이 없는 미네랄워터 Aqua Minerale가 있다. 로마에서는 테르미니역 지하에 코나드(CONAD) 슈퍼마켓을 이용했다. 여행자들이 많이 찾는 곳이라 간단한 먹을거리, 음료수와 관광상품 등이 있다.

다른 도시에서는 PAM과 COOP같이 좀 더 롯데마트 스타일의 온갖 것들을 다 파는 슈퍼가 있었는데 로마에서는 잘 보지 못했다. 외곽으로 나가면 있을지도 모른다. PAM이나 COOP에서는 햄이나 치즈를 덩어리로 가져다 놓고 원하는 양만큼 그 자리에서 썰어준다. 이렇게 썰어주는 햄이 참 맛있다.

혹시 PAM이나 COOP을 만난다면, 그리고 그 매장에 덩어리 햄을 썰어준다면, 꼭 사 먹어 보길 추천한다. 원하는 햄을 가리키고 500그램, five hundred gram please 하면 알아듣는다. 샌드위치 햄처럼 얇게 썰어주는데 짜지 않고 맛있다. 500그램이면 샌드위치를 몇 개 만들어 먹을 수 있는 양이다. 코나드와 함께 카르푸 익스프레스도 제법 많이 보였다.

바디 워시를 사고 싶어서 슈퍼에 갔다. 이탈리아 제품의 바디 워시를 사보고 싶었는데 진열되어 있는 것은 Dove, Aveeno등 다국적 기업의 제품이고, 이탈리아 브랜드로는 구석에 있는 Robertson만 찾을 수 있었다.

자국산 생필품 제조업의 현황이 보였다. 공산품은 거의 유니레버나 팬틴 같이 다국적 기업의 제품이다. 공산품 뿐 아니라 음식들도 외국 제품이 많았다. 인터내셔널 브랜드가 많이 들어와 있어서 요구르트 같은 것은 우리가 이미 알고 있는 브랜드가 많다.

치즈나 과일 등 현지에서 먹을 수 있는 것은 이탈리아 산이 많다. 현지의 것을 먹어 보기를 권하고 싶다. 과일도 우리가 알고 있는 것과 다른 맛이다. 특히 오렌지가 달콤하지 않고 좀 씁쓸했다. 오렌지와 자몽을 섞은 맛 같다고나 할까? 토마토는 더 감칠맛 나고 맛있었다.

코나드에서 쇼핑을 하다보면 한국 사람들을 많이 보게 된다. 포켓 커피라고 하는 것을 기념품으로 많이 사 간다. 포켓 커피가 계절상품이라 겨울에만 슈퍼에 나온다. 그래서 나도 한 번도 보지 못했다. 포켓 커피 말고 마비스 치약도 많이 사 간다고 한다. 그래서인지 치약 칸이 텅 비어있었다.

슈퍼에 가면 그 나라 사람들의 생활이 보여서 재미있다. 단지 내가 필요한 것뿐 아니라 현지인들의 필수품도 다 구비하고 있기 때문이다. 그러나 관광지의 슈퍼는 현지인 동네의 슈퍼와 좀 상품 구색이 다르다. 간단한 제품들과 소량포장 등이 많다.

이탈리아 사람들은 어떤 걸 먹고 사용하는지 알 수 있는 탐구의 시간이 슈퍼에서 쇼핑하는 시간이다. 주요 목적은 물을 사러 가는것이지만 과자, 와인과 치즈 칸에 종류가 다양해서 다 먹어보고 싶은 마음이 들었다.

기억에 남는 건 부팔라 치즈다. 모짜렐라 치즈인가 싶어서 들었는데 부팔라 치즈였다. 버팔로 즉 물소의 젖으로 만든 치즈다. 좀 더 고소하고 부드러워서 이탈리아 여행 내내 부팔라 치즈로 샌드위치를 만들어 먹었다. 아직도 부팔라 치즈의 맛이 생각난다.

02 이탈리아에서는 이탈리아 술을!

스페인 여행을 다녀온 후에는 한동안 샹그리아에 빠져 지냈었다. 그 달달하고 기분 좋은 술을 집에서도 만들어 마시곤 했다. 그리고 샹그리아를 마시면, 스페인 여행이 떠올랐다. 이탈리아 여행에서는 또 어떤 술이 샹그리아와 같은 역할을 할까 기대하며 여행을 떠났다.

이탈리아는 이미 너무나 유명한 와인 산지다. 이탈리아 와인은 어느 슈퍼에서도 만날 수가 있다. 그래서 와인 이외에 어떤 술을 즐기는지 궁금했다. 우리는 흔히 식사하면서 술을 같이 하지 않는다. 고깃집에 가야 소주와 맥주가 메뉴판에 있는 정도다. 그러나 이탈리아에 오니 음료 주문에서부터 술이 한가득이다.

#식전주가 뭔데?

이탈리아에는 식전주와 식후주가 있다. 식전에 무슨 술을 마시나? 할지 모른다. 식전주는 입맛을 돋우는 에피타이저의 기능이라고 한다. 내가 생각하기에 식전주는 '음식이 좀 늦게 나와도 화내지 말고 기다려라~'는 의미로 받아들여진다.

식전주를 한잔하면 기분이 좋아지면서 마음이 너그러워진다. 기분이 좋아진 채로 좀 떠들다 보면 음식이 나온다. 식전주 없이 음식을 주문하면, 왜 이렇게 빨리 안 나오나 하고 목 빠지게 기다리게 된다. 그리고 재촉하고 성질내기 쉽다. (여기서 뜨끔한 사람이 있을 수 있다.)

식전주로는 스프리츠와 캄파리가 있다. 와인은 식전주로, 또는 음식과 함께 마신다. 식후주로는 리몬 첼로와 그라파가 있다. 리몬 첼로가 식후주인지 모르고 처음에 주문할 때 같이 주문했더니, 지금 마시는 것 아니라며 "디저트 시킬 때 같이 주문해라"라는 답을 들었다. 와인은 화이트와인 레드와인 등등 다 있었다.

스프리츠는 아페롤 스프리츠(아래 사진 1) 라고 한다. 오렌지색이 나는 청명한 술이다. 맑은 오렌지주스에 씁쓸한 맛이 첨가된 맛이다. 오렌지주스같이 탁하지도 않고 환타같이 달거나 톡 쏘지도 않다.

이탈리아 오렌지가 붉은 색이 나고 자몽처럼 씁쓸한 맛이 있어서인지 오렌지색 스프리츠도 좀 씁쓸한 맛이 있다. 그래서 더 입맛을 돋운다는 건지는 잘 모르겠다. 확실한 건 알코올이 들어있다는 거다. 기분이 좋아진다. 보통은 7유로 정도다.

이탈리아 음료의 약간 씁쓸한 맛은 이 블러디 오렌지 때문인 듯하다. 자몽을 좋아하는 사람은 자몽의 씁쓸한 맛이 매력이라고 한다. 이탈리아 음료의 대표 식전주인 스프리츠도 캄파리도 씁쓸한 맛이 기본이다. 쓴 맛이 다른 맛들에 비해 사람들이 민감하게 반응하는 맛이라고 한다.

이탈리아 음료의 쓴 맛이 처음에는 몹시 생소했다. 처음엔 '응? 씁쓸한 맛이네?' 했는데 몇 번 마시다 보면 그 달콤씁쓸한 맛에 익숙해진다. 레스토랑에 가면 어차피 물도 사 마셔야 된다.

왠지 물을 사 마시는 건 아까운 느낌이 들어서 식전주로 스프리츠를 마시게 되었는데 점점 스프리츠에 스며들었다.. 샹그리아가 그 달달한 맛으로 갑자기 훅~ 친해지는 친구 같다면, 스프리츠는 서서히 친해지는 친구 같은 느낌이다.

캄파리도 스프리츠와 함께 식전주 계의 양대 산맥이다. 씁쓸하다는 이야기가 있어서 섣불리 시키지 못하다가 슈퍼에서 캄파리 소다(아래 사진 2)를 발견하고 사 와 보았다. 그 맛은... 1박2일에 복불복으로 사용해도 되지 않을까 하는 정도다.

박카스의 화한 맛과 쓴맛과 무슨 약 맛 같기도 하고.. 한모금 마셔본 후로는 더 이상 마시지 못했다. 이탈리아에 살고 있는 지인의 말을 빌리면, 식전주 캄파리는 캄파리 소다보다 더 쓴맛이란다.

색도 검붉은 색에 완전 쓴맛이라 이걸 왜 먹는지 모르겠다며 고개를 절레절레했다. 쓴맛에 익숙하지 않은 사람에게는 친해지기 어려운 맛이다. 그러나 세상은 넓고 맛의 세계는 다양하다! 한번쯤은 시도해 보기 바란다. 의외로 취향일수도 있다.

#식후주는 무엇이 다를까?

식후주로는 리몬 첼로와 그라파가 있다. 식후주는 식사를 다하고 소화를 도와주는 술이라고 한다. 내 생각에는 목구멍을 씻어주는 술 같다. 엄청 쎄고 독하다. 그라파는 양주 맛이고, 리몬 첼로는 레몬 소주의 독한 버전이다.

리몬 첼로는 캄포 데 피오리 시장에 가면 많이 판다. 작은 병 3개짜리를 처음에는 13유로 라더니, 간다고 하니까 10유로에 주겠단다(아래 사진 3). 남부 투어 가서 포지타노에 가면 길을 따라 있는 기념품 샵에 리몬 첼로와 레몬 사탕을 많이 팔고 있다.

이탈리아 남부 지방에 레몬이 특산물이다. 길에 쌓여있는 레몬도 어찌나 큰지 '이게 레몬이야, 자몽이야' 할 정도다. 포지타노 기념품샵에 좀 더 다양한 모양의 병에 담긴 리몬 첼로가 많이 볼 수 있다.

그라파는 정말 아주 작은 잔에 나오는 독주다. 냄새만 맡아도 그 알콜 돗수가 느껴지는 술이다. 식후에 이 술을 마신다는 것은 '밥도 먹었으니, 이제는 이걸 마시고 주무시오~' 하는 무언의 암시가 아닐까?

이탈리아는 워낙 전 세계로 와인을 수출하는 나라지만, 이번에 피렌체 지역의 키안티 클라시코에 대해 듣게 되었다. 특별히 수탉 그림 표시를 붙여 그 정통성을 부여한 와인이다. 고기 요리와 잘 어울린다. 전에는 몰랐는데 정말로 수탉 그림 표시를 보고 나니 왠지 더 믿음이 간다(아래 사진 4).

우리나라 음식에 우리나라 술인 막걸리와 소주가 어울리듯이 이탈리아 음식에는 이탈리아의 술이 어울리는 게 당연하다. 여행 가기 전에 영상과 사진으로 미리 경험이 가능한 것이 많다. 그러나, 현지에 가야만 경험할 수 있는 것이 맛보기다.

그 만큼 이탈리아의 음식과 주류를 시도하는 것은 시간과 정성을 들여 여행 온 사람만 할 수 있는 어드벤쳐다. 여행지에서의 맛이 그 여행의 호감정도를 좌우할만큼 중요하다는 것은 이미 다른 여행에서도 경험했을 것이다. 이탈리아를 관통하는 “맛”에 대해 다양하게 트라이 해보기를 권하고 싶다.

1.오렌지색 청명한 스프릿츠 2.새빨간 색이 이브의 사과 같은 캄파리 소다 3.캄포 데 피오리 시장에서 구매한 리몬첼로 4.수탉그림이 새겨진 키안티 클라시코 와인

03 로마 레스토랑 가이드

로마를 다니다 보면 리스토란테(Ristorante), 트라토리아(Tratoria), 오스테리아(Osteria), 핏제리아(Pizzeria)라는 곳이 많다. 결론은 모두 다 레스토랑이다.

차이는,
리스토란테는 최고급 레스토랑 즉 고급 한정식 느낌이다. 코스요리 위주에 가격도 가장 비싸다.
트라토리아는 리스토란테보다 좀 대중식당인 곳이다. 보통 한정식집 느낌으로 코스도 있고 단품도 있다.
오스테리아는 트라토리아보다 가격이나 격식 면에서 더 격식 없는 동네 식당 느낌이다.
핏제리아는 피자전문점이다. 파스타 메뉴도 있지만 피자 전문이다.

식당에 갈 때 주로 리뷰를 보고 가거나 추천받고 가서 식당이 리스토란테였는지 트라토리아였는지는 잘 모르겠다. 주로 가성비 좋은 캐주얼 식당에 많이 갔다. 직접 가본 곳들에 대한 리뷰와 현지 가이드에게 추천받은 레스토랑을 소개하겠다.

#일 머칸토 센트랄레 : 테르미니역

깔끔하고 캐주얼한 느낌의 푸드코트다. 테르미니역에 있어서 자주 애용했다. 피렌체에 가니 피렌체 중앙시장 2층에도 이 '일 머칸토 센트랄레'가 있었다. 로마보다 더 매장이 크고 좀 더 트랜디한 분위기였다. 밀라노에 가니 밀라노에도 밀라노 중앙역 근처에 있었다(아래 사진 1,2).

사람이 많이 모이는 중심가에 위치한, 젊은 분위기의 푸드코트 체인점이다. 음식도 다양하고 맛있고 자릿세를 따로 받지 않아서 마음이 편했다. 딸은 아직도 테르미니역 일 머칸토 센트랄레에서 먹은 까르보나라 스파게티가 제일 맛있었다고 한다.

푸드코트의 정석으로 직접 가서 음식 주문하고 번호표 받았다가 번호가 뜨면 받아오는 곳이다. 딱 하나 음료만 따로 주문받는다. 까만 티셔츠를 입은 직원들이 돌아다니면서 음식도 치우고 음료도 주문받는다. 다른 음식 주문은 직접 가서 주문해야 한다.

이 음료 주문 받는 직원들은 허리에 이동식 카드 결제기를 차고 다녔다. 그 자리에서 주문하고 결제까지 다 해준다. 이탈리아가 은근히 카드 결제기가 많다. 그리고 터치 결제기가 많다. 애플페이도 다 된다. 삼성페이는 안 써봐서 모르겠다.

여기서는 피자, 파스타, 샌드위치 등을 사 먹었는데 다 맛있었다. 딱히 점심시간이나 저녁 시간 같은 식사 시간뿐 아니라 하루 종일 사람이 많다. 일과를 끝내고 숙소로 돌아오면서 피자를 사 오기도 좋고, 거기서 파스타에 와인 한잔하기도 좋았다.

단점이 있다면 항상 사람이 많아 자리 잡기가 좀 쉽지 않다. 점심시간을 피하면 그래도 괜찮다.

#Sfissiami Italian Bistrot : 바티칸 시티 근처

바티칸에서 천사의 성 쪽으로 조금 가다 보면 나온다. 바티칸 근처는 음식이 꽤 비싸다. Yelp로 리뷰가 좋은 곳을 찾아서 간 식당이다. 연어 스파게티, 버섯 스파게티와 해물 스파게티를 먹었다. 물론 스프리츠도 한잔했다. 음식은 맛있었다.

해물 스파게티는 실패하지 않는 아는 맛이고, 연어 스파게티는 느끼하지 않고 약간 짭짤했다. 버섯 스파게티가 맛있었다. 바티칸 시티에서 한 블록만 뒤로 들어가도 이렇게 가성비 좋은 식당을 찾을 수 있다. 주인은 한국말로 "안녕하세요?"라고 인사했다. 우리가 먹는 동안 다른 한국 가족이 들어오는 것이 보였다. 바티칸에 간다면 이 식당을 추천한다(아래 사진 3).

#미노(Ristorante Pizzeria "Mino 1960") : 테르미니역 근처

여기는 구글 지도 보고 평점 보고 찾아간 곳이다. 리뷰가 좋아서 갔는데 맛은 보통이었다. 앤초비가 들어간 피자와 양갈비구이, 카르보나라 스파게티를 먹었다. 앤초비는 우리의 멸치 같은 것으로 해산물 피자의 느낌이다. 좀 짭짤했다.

양갈비구이는 여기서 먹은 세 가지 메뉴 중 제일 맛있었다. 까르보나라는 평범한 맛이었다. 로마에 오면 양고기를 먹어봐야 한다던데 이 레스토랑의 양고기 요리가 맛있었다. 부드럽고 간도 딱 맞고 소고기보다도 더 맛있었다(아래 사진 4,5).

#네로네(Nerone) : 테르미니역 근처

남부 투어 가이드가 추천해 준 곳이다. 5시에 문 여는데 5시 10분도 되기 전에 도착했다. 우리가 앉고 나서 식당이 다 찼다. 이렇게 인기 있는 곳인가? 잠시 놀랐었다. 손님 중에 한국 사람이 많았다.

주인이 홀서빙하면서 손님들에게 말도 걸고 친절하게 대했다. 우리가 카드를 내미니 현금으로 계산하면 리몬 첼로를 서비스로 한 잔씩 주겠단다. 궁금했던 리몬 첼로를 이렇게 마셔보게 되었다. 분위기도 괜찮고 식사도 맛있었다. 추천한다(아래 사진 6).

#코보(Covo dei saraceni) : 포지타노

마르게리따 피자와 포지타노 피자 그리고 디저트로 레몬 셔벗을 먹었다. 피자가 제법 커서 2개를 시켜서 3명이 먹어도 양이 괜찮다. 해산물 요리도 많이 시키는 것 같았다. 우리 일행은 별로 배가 많이 안 고파서 간단히 먹었다.

여기서의 하이라이트는 레몬 셔벗이다! 자몽만 한 레몬의 속을 파서 셔벗을 채워 넣어주는데 새콤달콤이 딱 적절한 시원한 레몬 셔벗이 포지타노에서는 신의 한 수였다!

이 핏자리아는 바닷가 바로 앞에 있는 식당으로 커피 바는 바닷가 쪽에 따로 있었다. 좀 더 경치를 즐기면서 식사하고 싶다면 좀 더 위쪽에 있는 바다가 내려다보이는 식당에 가는 것을 추천한다.

여기에서 보이는 뷰는 사람들이다. 다른 섬으로 가는 배를 타려고 줄 서 있는 사람들이 많이 보이고 미니 보트 타는 사람들이 보였다. 딱 선착장 앞에서 간단히 식사하려는 사람들을 위한 느낌의 식당인데 식당 안은 깔끔하고 예뻤다(아래 사진 7).

현금계산에 관련된 에피소드가 있다. 식사가 잔돈으로 약 2-3유로를 돌려받아야 하는 가격이었다. 웨이터가 묻지도 따지지도 않고 잔돈을 안 주는 거다. 보통은 잔돈을 줄까? 아니면 팁으로 줄래? 물어봐야 하는데 말이다. 아무리 기다려도 잔돈을 안 줘서 안 주기로 작정했구나 했다. 역시 식사 계산을 카드로 하는 것이 제일 깔끔하다.

#쿠치나 델 테아뜨로(Cucina del Teatro) : 천사의 성 근처

길 가다가 배고파서 그냥 들어간 식당이다. 판테온과 천사의 성 사이 테아뜨로 젤라또 옆집이다. 길가에 조그만 공간이 있는데 앞에 고풍스러운 건물이 보이고 돌길을 따라 지나다니는 사람들이 보이는 분위기 있는 카페다. 안으로 들어가면 내부에도 좌석이 있고 2층엔 화장실이 있다.

치킨커틀렛과 토마토와 새우가 들어간 파스타 그리고 베이컨이 들어간 파스타를 주문했다. 음식이 깔끔하고 맛있었다. 그동안 먹었던 캐주얼 식당과는 메뉴의 이름부터 뭔가 좀 달랐다.

파스타면이 라면면처럼 얇고 꼬불거리는 파스타도 있었다. 그리고 카푸치노를 한잔 마셨는데 식사도 커피도 모두 만족스러웠다. 점심 식사하기에 추천한다(아래 사진 8).

옆집은 젤라또 가게이다. 밖에서 젤라또 만드는 것을 직접 볼 수 있도록 관람용 유리창이 있다. 시간 맞춰가서 젤라또 만들기도 보면 일석이조 일 듯 하다.

#로마 가이드의 추천 레스토랑 소개

로마에서 현지투어를 할때마다 투어가 끝날때는 가이드가 식당 소개를 해주었다. 3번의 현지 투어에서 가이드가 추천해 준 식당들을 소개해 보고자 한다. 나는 여기에 못 가보았지만, 로마에서 살고 있는 가이드들의 입맛이니 어느정도는 검증되지 않았을까 생각된다.

로마에서 먹어볼 음식은
1번 까르보나라 스파게티
2번 양고기 요리
3번 소꼬리찜 이라고 한다.

이 중에서 1번과 2번은 먹어보았다. 2번은 괜찮았고 1번은 음식점마다 조금씩 맛이 달랐다. 3번을 못 먹어 본 것이 좀 아쉽다.

포로 로마노 근처 : la Tevana dei Fori Imperiali
스페인 계단 근처 : Ristorante Nino
테르미니 근처 :
맘마 코레아나 (한식당)
Roadhouse Restaurant Roma Termini (고기요리)
Alessio (이탈리아 요리)

1.일 머카토 센트랄레 2.센트랄레 내부지도 3.Sfissiami Italian Bistrot 4.미노의 양갈비구이 5.미노의 엔초비 피자 6.네로네 7.코보의 포지타노 피자 8.쿠치나 델 떼아뜨르

제3장

작지만 큰 행복

커피와 젤라또 탐험

01 로마 3대 커피 완전정복

누가 만들었는지 로마의 3대 커피는 스페인 계단 근처 안티코 카페 그레코, 판테온 근처 타짜도로, 판테온 근처 산 에우스타키오 카페라고 한다. 로마에 왔으니 이탈리아 커피는 현지에서 다 경험해 보아야겠다는 알 수 없는 의무감이 들었다.

#안티코 카페 그레코 Antico Caffe Greco

스페인 계단 앞 번화가에 있다. 우리나라로 치면 명동의 한 복판에 있는 것과 같다. 위치가 너무 좋아 월세가 비쌀 것 같다는 생각이 들었다. 세상을 살다보면 낭만 뒤에 있는 돈의 흐름도 그냥 떠오르기도 한다.

매장 앞에 메뉴판이 붙어있다. 이 메뉴판은 서서 먹는 가격이다. 안에 들어가서 앉아서 먹으려면 자릿세를 내야 한다. 가격은 카푸치노 3.5유로. 안에 앉아서 마시면 10유로다. 피자가 8-9유로인데 커피가 10유로라고?

이건 아니다 싶어 테이크아웃 컵으로 주문했다. 양은 또 어찌나 작은지 우리나라 종이컵에 70%정도를 담고 뚜껑 덮은 모양이다. 맛은? 그다지 인상적이지 않았던 것으로 보아 그냥그냥 그

랬나 보다. 1760년부터의 역사를 자랑하는 곳인데 내 취향은 아닌 듯하다. 맛은 그냥 평이했다(아래 사진 1).

#판테온 가는 길에 있는 타짜도로 Tazza D'Oro

3대 커피 도장 깨기에 나서서 타짜도로에 왔다. 타짜도로는 사람이 엄청나게 붐비는 곳이었다. 내 생각에 그 이유는 공짜 화장실 때문이다. 커피를 주문해 놓고 화장실 줄을 섰다. 줄이 길고 빨리 줄어들지 않았다.

알고 보니 화장실은 남자 화장실 한 칸, 여자 화장실 한 칸이고, 관광 가이드가 단체 관광객들에게 여기서 커피 한잔하면서 화장실을 이용하라고 하는 것 같다.

줄 서 있는 동안 한국 관광 단체가 와서 또 엄청난 줄을 섰다. 로마 중심부에 공짜 화장실을 이용하기가 이렇게나 힘들다. 화장실 안에는 티슈도 비누도 아무것도 없다. 오랜만에 옛날처럼 휴대용 티슈와 종이비누가 아쉬웠다.

타짜도로는 커피잔이 이쁘다. 커피도 안티코 카페 그레코 보다는 좀 더 진하고 맛있었다. 화장실 때문에 힘들지 않았다면 좀 더 평화롭게 커피 맛을 음미했었을 것 같다. 커피값은 1.5유로로 가장 보통 커피값 (카푸치노 약 1.7유로)에 가깝다. 다른 커피도 가격이 가장 착했다(아래 사진 2).

용산 아이파크몰에 타짜도로 매장이 들어왔다고 한다. 이탈리아 판테온 앞에서 마셨던 그 맛을 용산에서 느낄 수 있다니 반가운 마음이 든다.

#판테온 근처 산 에우스타키오 카페 Sant Eustachio il caffe

산 에우스타키오 카페는 부산에 있는 아난티 코브에 매장이 있다. 전에 아난티 코브 구경하러 갔다가 산 에우스타키오 카페에 들렀었다. 거기서 산 에우스타키오 커피를 마시고 두 번 놀랬다.

'무슨 커피가 6천원이냐!' 비싸서 놀라고, 맛이 진하고 풍부해서 그 맛에 놀랐었다. "와! 이 커피 진짜배기다!" 했었던 생각이 난다. 그 때의 즐거운 기억을 품고 판테온 근처에 있는 산 에우스타키오 카페에 갔다.

에우스타키오 성인의 상징인 사슴 머리와 기분 좋은 노란색이 눈길을 끌었다. 일단 카푸치노를 주문했다. 카푸치노 가격은 3.9유로다. 그러나 맛은 감동이다! 맛에 비해 화장실 인심은 좀 야박했다. 커피를 샀는데도 화장실이 수리 중이라면서 못 쓰게 했다.

이 집은 3대 커피집에 들어갈 만하다! 전에 아난티 코브에서도 그 맛에 놀랐는데 여기서도 만족스러웠다. 맛이 진하고 풍성하다. 연한 커피나 보리차 같은 커피를 좋아하는 사람에게는 맛이 너무 진할 수 있다(아래 사진 3).

카페 내부도 이쁘고 기념품도 예뻤다. 커피콩 위에 초콜릿을 입혀서 초코볼을 만든 것을 두 종류 샀다. 하나는 그냥 내가 먹을 것으로 초코볼들이 한 봉지에 다 들어있는 것이다. 다른 하나는 초코볼 하나하나 다 포장이 되어 있는 것으로 선물로 주려고 샀다.

이 두 가지를 사 가지고 여행을 다니다 보니... 한 봉지에 다 들어 있는 초코볼은 날씨가 더웠을 때 좀 녹아서 다 붙어 버렸다. 각각 포장되어 있던 초코볼은 살아남았다. 혹시 구매한다면 초코볼이 각각 포장된 제품을 추천한다.

#로마 3대 커피의 승자는?

당연히 나에게 감동을 준 산 에우스타키오 카페의 커피다! 나의 취향은 진하고 풍부한 맛의 커피다. 그러나, 사람마다 개인의 취향은 다르니 직접 시도해 보고 본인에게 가장 잘 맞는 커피를 찾아보는 게 좋겠다. 개인의 취향에 정답은 없으니 말이다.

1.안티코 카페 그레코 2.타짜도로 3.산 에우스타키오 카페

02 3대 커피가 다야?

로마에 6박7일 있는 동안 가장 많이 접한 커피는? 두구두구두구... 바로 '일리' 커피다. 테르미니역에서 지하철 타러 가면서 제일 처음으로 만나는 카페 쇼콜라티 이탈리아니(Cioccolati Italiani)에서도 커피는 '일리' 커피다(아래 사진 2).

바티칸 박물관 들어가서 매점에서 마시는 커피도, 쿠폴라 올라가는 길에 중간층 쉬어가는 카페에서도 커피는 '일리'였다. 이탈리아에 오기 전에 일리 커피의 카푸치노와 카페라테는 마셔본 적이 없다.

시그니처인 알루미늄 통에 들어있는 그라인드커피를 사 와서 내려 먹거나 캡슐 커피로만 마셨다. 로마에서 마셔본 일리 카푸치노는 좋았다. 위의 3대 커피와 비교하자면 타짜도르와 비슷한 맛이다.

나는 로마에 있는 동안 카푸치노를 계속 마셨다. 카페 라테는 좀 우유가 많이 들어가서 싱거운 느낌이 드는데 카푸치노는 더 고소하고 맛있었다. 카푸치노 하면 왠지 위에 시나몬 파우더를 뿌려야 할 것 같은데 이탈리아에서는 시나몬 파우더를 뿌린 카푸치노를 본 적이 없다.

물론 일리 커피만 있는 것은 아니다. 이탈리아 커피의 양대 산맥이라는 라바짜 커피도 있다. 테르미니역 라바짜 커피 바(아래 사진 1)에서도 카푸치노를 마셔보았다. 강남 고속버스터미널에 있는 라바짜 커피 카페에서의 맛과 거의 같다. 같은 원두를 쓰고 있는게 맞나 보다!

일리 카푸치노가 라바짜 카푸치노보다 좀 더 내 취향이다. 두 커피는 맛의 차이도 좀 있겠지만 마케팅과 유통망의 차이가 크다. 로마를 떠난 후에 피렌체, 베네치아, 밀라노에서도 많은 카페에 가보았는데 대부분 일리 커피였다(아래 사진 2). 내 생각에 이탈리아는 일리 커피가 거의 접수한 듯이 보였다.

이탈리아가 워낙 커피로 또 유명하니, 카페마다 고유의 로스팅으로 다른 맛이 나는 커피가 있겠거니 하며 다양한 커피맛을 기대했었다. 실제로 그런 카페도 많이 있을 거다. 그러나 관광지와 번화가를 많이 다녀서일까? 대부분 카페는 일리 커피를 팔고 있어서 실망스럽기도 하고 놀랍기도 했다. 그러면서 점점 일리 카푸치노에 빠져들어 갔다.

로마에서 마신 커피중에 가장 인상적인 커피는 뭐니 뭐니 해도 호텔 아침 조식 커피다(아래 사진 3). 이 커피는 무슨 커피인지 모르겠다. 아침에 항상 카푸치노를 마셨는데, 만들어 주는 사람에 따라 맛이 조금씩 달라졌다. 카푸치노도 손타는 음료였다!

로마에서의 커피는 하루를 여는 소중한 음료이면서 지친 발걸음에 기운을 북돋워 주는 에너지의 음료였다. 커피를 마신 곳마다 그곳에서의 에피소드가 있고 그때의 분위기가 있다.

커피에는 음료 이상의 무엇이 있는 것 같다. 생활의 일부다. 그러기에, 가장 익숙한 것에 가장 마음이 가는가 보다. 그날의 일정을 나가기 전, 한자락 여유속에 마시던 조식 카푸치노의 맛을 잊을 수가 없다.

이탈리아를 다니면서, 우리가 흔히 접하는 커피 중 상당수가 이탈리아에서 온 것이었구나! 하고 놀랐다. 그런데도 전 세계에 가장 많은 매장을 가진 카페는 스타벅스라니... 더 놀랍다. 커피는 이제 맛과 향기를 넘어서 문화의 한 부분이 되어가는 느낌을 받는 것은 나 뿐일까?

그러나 아직 스타벅스는 로마에 보이지 않았다. 테르미니역 2층에 'Starbucks Coming Soon!'이라고 쓴 푯말이 있는 것으로 보아 매장 내부 공사중인 듯 했다. 밀라노의 그 유명한 스타벅스 리저브 매장과 어떻게 다른 매장이 로마의 중심부에 들어올지 궁금하다.

이탈리아에 오면 여러 커피를 체험해 보기를 권하고 싶다. 때로는 입에 닿은 것이 눈으로 본 것보다 더 오래 기억된다.

1.테르미니역 내부 라바짜 커피숍. 앉을 자리는 없고, 테이크 아웃과 서서 마시는 바(Bar)자리만 있다. 2.폼피에서 마신 일리커피 3.익숙함이 취향이 되어버린 호텔조식 카푸치노

03 이탈리아에 오면 젤라또지!

커피뿐 아니라 젤라또도 3대 젤라또라고 하는 곳이 있다. 지올리티, 파씨, 라 로마나 라고 한다. 라 로마나는 못 가보았고, 판테온 근처에 있는 지올레티와 테르미니역 근처에 있는 파씨는 가보았다. 걷다 보면 젤라또 가게가 양쪽으로 널렸다.

로마 투어 가이드에게서 들은 것인데, 로마에서 젤라또를 배워서 젤라또 가게를 개업하려고 해도 외국인에게는 허가를 안 내준다고 한다. 우리 식으로 말하면, 외국인이 와서 수정과와 식혜를 배운 후에 전통 음료 가게를 오픈하려고 할 때 허가를 안 내주는 것과 같다고나 할까? 젤라또에 대한 이탈리아인들의 생각을 보여준다.

그롬 젤라또(Grom Gelato)가 젤라또 체인점으로 자주 보이고, 쇼콜라티 이탈리아니(Cioccolati Italiani)와 벤키(Venchi)가 초콜렛도 판매하고 젤라또도 판매하는 전국체인이다. 처음에는 이런 곳이 있는지도 몰랐었다. 다니다 보니 어느 도시에 가도 위의 세 젤라또 가게가 눈에 띈다.

#지올리티(Giolitti)는 항상 사람이 많다

앉아서 먹으려면 좌석 전용 메뉴를 주문해야 한다. 좌석 전용 메뉴는 콘이나 컵 젤라또는 없고 유리잔에 젤라또와 막대 과자가 꽂혀있는 고급스러운 것이 비싼 가격의 이름표를 달고 있다. 가격은 대략 10유로에서 시작한다. 자릿세가 포함된 가격인 셈이다(아래 사진 1).

심플하게 젤라또만 먹고 싶다면, 일단 들어가서 계산한다. 스몰은 2스쿱에 3.5유로, 미디엄은 3스쿱에 5유로다. 컵으로 할 것인지 콘으로 할 것인지를 정해야 한다. 현금이든 카드든 계산하면 영수증을 준다. 그 영수증을 직원에게 내밀고 어떤 것을 달라고 말하면 된다.

그 영수증을 내미는 과정이 뭔가 번호표를 뽑고 순서대로 하는 것이 아니었다. 직원에게 먼저 말 붙이는 사람이 먼저인 것 같다. 젤라또 유리 케이스 앞에 사람들이 가득해서 어디가 줄인지 도통 알수가 없다. 로마에 가면 로마법을 따라야 하니까! 그들처럼 직원에게 영수증을 들이밀며 어떤 것을 달라고 외쳤다.

우리 일행은 3명이어서 2명은 스몰, 1명은 미디엄으로 시켰다. 리소(라이스), 피스타치오, 레몬, 수박, 스트로베리, 망고, 초콜릿까지 총 7가지의 다른 맛을 맛보았다. 주문하고 나면 “크림을 올려줄까?” 하고 묻는다. 주는 건 다 받는다. 거절하지 않는다. 크림까지 받아서 맛을 보기 시작했다.

지올리티 젤라또는 좀 쫀득한 느낌이었다. 시원하고 맛있었다. 왠지 고급진 느낌이 드는 이유는 단맛 조절에 있다. 인공향료와 설탕을 넣어서 진한 과일 단맛을 내는 것이 아니라 과일 특유의 은은한 단맛을 낸다. 개인적으로는 리소가 제일 맛있었다(아래 사진 2).

젤라또는 엄청 빨리 녹는다. 천천히 먹는 사람이라면 스몰을 주문할 것을 권한다. 한스쿱 더 있다고 미디엄은 양이 좀 많다. 미디엄을 먹다 보면 녹기 시작해서 젤라또가 손에 줄줄 흐르는 참사가 발생하기 쉽다.

지올리티 앞에는 매장 안으로 들어가려는 사람과 밖에서 서서 젤라또를 먹고 있는 사람들로 앞이 아주 복잡하다. 땡볕에 길에서 줄줄 흐르는 젤라또를 먹었던 것도 로마의 추억이 되었다(아래 사진 3).

#파씨(Fassi)가 좀 더 여유 있다

매장이 넓고 덜 붐벼서 일단 좋았다. 자릿세를 받지 않아 젤라또를 사서 여유 있게 앉아서 먹을 수 있어서 더 좋았다. 지올리티의 정신없는 복잡함이 싫다면 파씨를 추천한다.

여기도 마찬가지로 먼저 계산하고 그 영수증을 직원에게 내밀고 어떤 것으로 달라고 주문한다. 파씨 젤라또는 쫀득한 느낌보다는 부드러운 느낌이었다. 여기서도 비슷한 것들을 주문해서 먹었는데 개인 취향으로는 리소가 제일 맛있었다(아래 사진 4).

#관광지에는 다 있는 전국구 젤라또 체인들

쇼콜라티 이탈리아니와 벤키도 테르미니역 안에 있다. 쇼콜라티 이탈리아니와 벤키의 젤라또는 로마가 아닌 다른 곳에서 맛보았다. 벤키의 젤라또(아래 사진 5,6)는 피렌체에서, 쇼콜라티 이탈리아니의 젤라또(아래 사진 7,8)는 밀라노에서 맛보았다.

이 두 곳은 초콜릿으로 유명한 곳이라 그런지 젤라또 메뉴에 초콜릿이 많다. 그리고 초콜릿이 맛있다. 벤키의 초콜릿은 특히나 포장이 너무 예뻐서 선물용으로도 좋다. 유명한 젤라또 이외에도 길 가다 만나는 젤라또들도 다 맛있었다.

어느 동네가 음식 맛이 좋으면 그 동네의 음식점 수준이 상향 평준화되는 것 같은 느낌이다. 이름난 곳이라니까 맛보고, 체인점이라 자주 만나서 또 맛보고... 로마에 있으니, 식후에는 꼭 젤라또를 먹게 되더라. 체인점 뿐 아니라 개인이 하는 젤라또들도 다 맛이 훌륭했다.

로마에서 길을 걷다가 젤라또가 땡긴다면, 의심하지 말고 어느 가게나 들어가서 먹어보아도 실패하지 않을 것이다. 우연히 들어간 곳에서 자기 입맛에 딱 맞는 인생 젤라또를 만날 수도 있다! 그것이 또 여행의 발견 아닐까?

1.지올리티 내부 자리의 메뉴 2.지올리티 리소 젤라또-위에 크림을 발라준다. 3.지올리티 외관 4.파씨 5.벤키 6.벤키 내부 7.쇼콜라티 이탈리아니 8.쇼콜라티 이탈리아니 젤라또-와플을 꽂아준다.

04 감동의 디저트들

로마에서 만난 잊지 못할 디저트로는 인생 디저트 폼피의 티라미수와 포지타노의 감동인 레몬 셔벗을 뽑을 수 있다

#남부 투어의 원픽! 포지타노 레몬 셔벗

젤라또를 설명하다 보니 젤라또 못지않게 감동을 준 디저트가 있었다. 바로 포지타노 레몬 셔벗(아래 사진 4)이다. 로마에서 출발하는 이탈리아 남부 투어를 가면 포지타노에서 점심도 먹고 자유시간이 주어진다.

이때 레몬 셔벗을 먹어보라고 가이드가 말해주었다. 길에도 노점상처럼 레몬 셔벗을 파는 곳이 있다. 종이컵에 레몬 셔벗을 담아준다. 그러나, 핏자리아나 레스토랑에 들어가서 디저트로 나오는 레몬 셔벗을 먹어보기를 권한다.

노점상과는 레몬의 크기가 벌써 다르다. 우리가 알고 있는 레몬이 노점상 레몬 셔벗이라면, 자몽 크기의 정말 튼실한 레몬이 식당에서 나온다. 반짜리가 6유로, 하나 통째가 10유로 였는데, 하나 통째로 시키면 모양도 예쁘고 양도 제법 괜찮다(아래 사진 4). 꼭 이 레몬 셔벗을 맛보기를 강력히 추천한다.

무작정 달고 시고가 아니라 맛의 밸런스가 아주 좋다. 그 이후로도 이렇게 맛있는 레몬 셔벗은 먹어보지 못했다.

#이탈리아 하면 티라미수! 인생 티라미수를 만나다

두 번째 감동의 디저트는 티라미수다. 티라미수 맛집 폼피(Pompi)를 소개한다(아래 사진 1). 폼피는 전국 체인이다. 로마 안에도 몇 군데 있고 다른 도시에서도 지나가는 길에 폼피를 만났다. 여기는 냉장고 안에 티라미수 박스가 산처럼 쌓여있었다(아래 사진 2).

티라미수도 종류가 많았다. 오리지널 티라미수와 헤이즐넛 티라미수를 먹어보았다(아래 사진 3). 폼피의 커피는 일리커피다. 티라미수 뿐 아니라 젤라또와 마카롱, 달달구리 디저트 빵들도 판다(아래 사진 1).

젤라또 마카롱 예쁜 빵들도 다~ 먹어보고 싶었지만, 그러기엔 작은 내 배를 탓하며 티라미수와 그 짝궁 커피로 오후의 피곤함을 날렸다. 눈이 번쩍 뜨였다.

이것은 커피의 카페인 덕분만은 아니었다. 티라미수가 너무 맛있었다. 처음으로 '폼피 티라미수는 프렌차이즈로 누가 들여와도 성공할 것 같은데' 하는 생각이 들었다. 누군가 지금 프렌차이즈를 진행 중일지도 모른다.

1.폼피 티라미수 2.폼피 냉장고에 티라미수박스가 쌓여있다. 3.오리지널 티라미수, 헤즐넛 티라미수와 일리커피 4.포지타노의 레몬셔벗

제4장

무엇까지 타봤니?

로마의 탈거리

01 공항에서 테르미니역까지

장시간의 비행 끝에 창문 밖으로 알프스산맥의 설경을 내려다보며 로마의 레오나르도 다 빈치 국제공항에 도착했다. 한국 여권을 가지고 있으면 왼쪽 줄을 서라고 한다. 이탈리아와 여권 협약을 맺은 나라들의 국기가 붙어 있고, 그 나라의 여권을 가지고 있는 사람들은 그쪽 줄에 서는게 좋다.

여권을 스캔하고 통과. 정말 이렇게 간편한가? 했더니 그 후로 사람이 기다리고 있다. 일일이 입국 도장을 찍어준다. 아무 말도 하지 않았다. 이렇게 나와서 가방을 찾고 로마 테르미니역까지 가는 공항철도인 레오나르도 익스프레스를 타러 갔다.

기계에서 티켓을 사려하니 다음 열차가 15분 후에 있다. 시간대가 정해져 있어서 시간대를 확인하고 티켓을 사게 되어 있었다. 가다 보니 생각보다 공항열차 플랫폼이 멀었다. 결정적으로 마지막 단계인 플랫품으로 들어가는 유리문이 잘 작동되지 않았다.

4곳의 출입구가 있었는데, 2곳은 작동이 되고 무슨 일인지 2곳은 감감무소식이다. 줄을 잘 못 섰더니 통과를 못 해서 눈앞에서 공항 열차를 놓쳤다. 띠로리~~ '이런! 처음부터 삑사리다!' 하며, 옆에 있는 역무원에게 물어보았다.

이탈리아에는 역마다 직원이 많이 있어서 도움을 받을 수 있는 점이 좋다. "유리문이 안 열려서 놓쳤다. 어떻게 하면 좋냐?" 했더니 이제 문이 잘 작동된다면서 들어가란다.

"기차를 놓쳤는데?" 하니까 "다음 기차 타라"고 한다. '응? 그럴 거면 왜 시간은 정해준 거지?' 갑자기 알 수 없는 의문이 들었다. 이탈리아에서 17박 18일 동안 시간과 관련된 경험으로부터 미루어 보면, 이탈리아는 시간에 크게 구애받지 않는 것 같다.

티켓을 살 때는 꼭 시간대를 지정해서 구매하게 되어있다. 그러나 좀 일찍 가도 들여보내 주고, 좀 늦게 가도 들여보내 주고, 못 타면 다음 거 타면 되고.. 이렇게 융통성이 크다.

시간에 엄격한 우리로서는 처음에 좀 이해가 안 되었지만, 로마에선 로마법을 따르는 것이니 그런가 보다! 했다. 좀 기다렸다가 다음 열차를 탔다. 열차에서 여행 가방 도난에 대한 이야기를 들었던 터라, 내 여행 가방이 보이는 곳에 앉았다.

20분 정도 후에 출발하기로 한 기차였는데, 30분이 되어도 꼼짝을 안 한다. 40분이 되니 안내방송이 나온다. 앞에 어딘가에 있는 역에서 환자가 발생해서 그 처치 관계로 좀 늦어진다고 한다.

그동안 사람들은 계속 타서 열차 안이 출근길 지하철처럼 되었다. 결국 1시간 만에 출발했다. 외국인도 많지만, 이탈리아 사람들이 많이 탔을 텐데 사람들이 참 잘 기다려 주는구나 싶었다. 우리나라 같았으면 벌써 난리 났을 텐데 말이다.

기차는 조용했고 빠르게 느껴지지 않았는데도 빨리 달려서 약 40분 후에 테르미니역에 도착했다. 내려서 부터는 구글 지도를 켜고 가방을 끌고 숙소로 찾아갔다.

02 우버를 부를까?

연 3일 동안 판테온 옆에서 우버를 불렀다. 판테온까지 가다 보면 길이 어두워졌다. 입장 시간이 지나서 판테온에는 못 들어가 보고, 여기서부터는 도저히 못 걷겠다 싶어 '우버를 부르자!'에 합의했다.

그러나 우버는.... 오지 않았다. 3일 동안 매일 처음에는 우버를 불렀다. 로마 시내에서는 왠만한 곳은 다 15유로로 커버가 된다고 들었다. 택시 정류장에 택시들이 줄을 서 있는데도 선뜻 타지 못했던 이유는 바가지를 쓸지도 모른다는 택시에 대한 불신 때문이였다.

바가지 때문에 가격이 정해져 있는 우버를 불렀다. 첫날은 퇴근 시간인지라 우버 가격이 17유로였다. 호출받은 기사가 온다고 하더니 30분이 지나도 소식이 없다. 차가 움직이지 않고 그대로 있다.

온다는 건지 안 온다는건지... 그래서 취소하고 택시를 탔다. 예전 난폭 운전하는 택시가 생각났다. 좀 더 멀리 가면 멀미할 것 같았다. 미터기에는 15유로가 나왔다. 마치 우버 요금표를 본 것처럼 교통체중이 있었다면서 17유로를 달라고 했다.

교통체증이 있으면 미터기에 요금이 더 나오는 것인데 왜 요금을 더 달라는 것인지 이해가 안 되었지만 17유로를 지불했다. 우리나라에서도 택시가 외국인을 대상으로 여전히 바가지 요금을 받고 있는지 의문이 들었다.

이건 그 나라에 돈을 쓰러온 관광객의 기분을 많이 상하게 하는 일이다. 뉴스로만 보던 일을 이렇게 로마에서 겪어보니 역지사지로 우리나라에 들어온 외국인들의 기분도 이해가 갔다.

두 번째 날에는 다른 한국분을 우연히 만나서 우버 앱에 대한 이야기를 했다. 그분도 우버가 안 되더라고 했다. 두 번째 날에도 걷다 보니 판테온까지 왔는데 너무 다리가 아파서 또 우버를 불렀다. 퇴근 시간을 지난 시간이라 대답할지도 모른다 싶었다. 또 대답은 없었고 또 택시를 잡았다. 교통체증이 없어서인지 이 날은 12유로에 왔다.

세 번째 날에는 일반 우버로는 응답하는 차가 없어서 좀 더 비싼 우버 블랙으로 호출하였다. 비싼 요금제를 선택하니 금방 응답이 왔다. 그러나 이 차 역시 오지 않았다.

이탈리아에서 과연 우버는 영업하는 것이 맞나? 이렇게 차량 관리가 안 되는데 영업 중이라고 말할 수 있을까? **우버는... 오지 않는다.** 우버 부를 생각 말고 택시를 타는 것이 정신 건강에 더 좋다.

03 지하철에서 대참사발생

숙소가 테르미니역이라 아침에는 거의 항상 지하철을 타고 출발했다. 많은 관광객이 이 역을 이용하다 보니 테르미니역의 지하철 티켓 사는 기계는 항상 줄이 길다. 그래서 며칠 머무를 거라면 한 번에 티켓을 여러 개 사 놓는 걸 추천한다.

한쪽은 카드로 결제할 수 있는 기계이고, 다른 한쪽은 현금으로 결제하는 기계이다. 첫날에 아침 7시에 왔더니 기계 앞이 한산했다. 그래서 그날 것만 사서 다녀 왔다. 둘째 날에는 8시 좀 넘어 지하철역에 도착했다. 그랬더니 출근 시간과 맞물려 기계 앞에 줄이 말도 못 하게 길었다.

한참을 기다려 기계 앞까지 왔는데 뭔가의 이유로 기계가 내 카드를 안 받아준다. 다른 카드를 넣어보고 다시 시작해 보고 난리를 쳤지만, 기계가 끝내 나를 거부했다. 카드 결제를 거부당하고 어쩔 수 없이 옆에 있는 현금결제 기계에서 다시 줄을 서서 지하철 티켓을 샀다.

이런 경우를 대비해서 현금을 어느 정도는 가지고 다녀야 한다. 지하철 대참사는 이것이 아니다. 티켓이야 기다리다 보면 언젠가는 살 수 있게 되어 있다. 스페인 계단에서 지하철을 타고 테르미니역으로 오는 길이었다.

처음에 지하철을 탈 때부터 우리 일행 앞에 세 명의 남녀가 있었다. 내 앞에서 남편과 딸은 먼저 안쪽 빈자리로 들어가고, 나는 뒤이어 들어가고 있었다. 갑자기 내 앞에서 한 여자가 내가 안으로 깊이 들어가는 것을 막는다. 뒤로 돌아서 가려 하니 뒤에도 다른 사람이 서 있어 막혀 버렸다.

다른 쪽으로 가려 하니 앞을 가로막은 여자가, 차가 흔들리니 손으로 봉을 잡으라고 했다. 왼손으로는 휴대폰을 꽉 쥐고 오른손으로 "나는 저쪽에 일행이 있다. 가야 한다."고 했다. 그러고 있는데 남편이 왔고 "왜 안 따라오냐?"면서 길을 텄다. 그리고 바로 다음 역에 도착했다.

내 옆에 있던 이탈리아 사람이 "저들이 너의 패스포트 가져갔다"라고 나에게 말했다. 그러고 보니 크로스 바디로 매고 있던 가방이 열려 있었다. 가방 안에 지갑이 사라졌다. 지갑 위로 가디건을 올려놓았는데 지갑만 사라졌다.

그 이탈리아 사람은 소매치기들이 지갑을 빼내는 것을 봤나보다. 방금 내렸다면서 따라 내리란다. 따라 내려봤지만 아무도 없었고 어디로 갔는지도 모르겠다. 다시 지하철을 탔다. 내 지갑이 녹색이어서 여권으로 착각했나 보다.

기분이 너무 나빴다. 말로만 듣던 로마의 소매치기를 이렇게 당하는구나 싶었다. '로마에서 무엇까지 해봤니?' 묻는다면, '소매치기까지 당해봤다!'. 일당이 삼인조로 움직이고 앞뒤에서 포위하고 한 사람은 말을 걸고 다른 사람은 훔치고 또 다른 하나는 망을 보고.. 이렇게 분업화되어 있는 것 같다.

나중에 바티칸 박물관 가이드에게 들은 것인데, 소매치기들이 지갑을 빼돌리기 때문에 막상 잡아도 수중에 지갑이 없다고 한다. 당하고 보니 그동안 소매치기에 대해 들었던 많은 이야기가 스쳐 지나간다. 그 이야기들이 남의 이야기인 줄 알았는데 나의 이야기가 된 것이다. 들었던 이야기와 나의 경험을 바탕으로
소매치기에서 자유로워지는 법을 정리해 보았다.

#소매치기에서 자유로워지는 법

1. 찾은 현금은 용도별로 다 세분하여 다른 봉투에 넣어두어라. 다행히 우리는 이것을 했다. 투어에 지불할 비용들을 다 나누어 봉투에 따로 넣고 숙소 가방에 넣어 두었다.
2. 여권과 신분증, 신용카드같이 도둑맞으면 골치 아픈 것들은 꼭 복대에 넣어라. 바지 속으로 넣고 다니려니 좀 모양이 안 나지만, 여기가 제일 안전하다. 다행히 나도 이렇게 여권과 신용카드를 복대에 넣고 다녀, 지갑 속에는 현금만 있었다. 이게 정말 다행이라면 다행인 점이다.
3. 일행이 돈을 나누어 가지고 있어라. 한 사람이 총무라며 돈을 다 들고 있다가 그 총무가 털리면 나머지도 모두 빈털터리가 된다. 소매치기는 총무를 기가 막히게 알아차린다. 그게 소매치기의 능력이란다. 우리는 다행히 세 명이 돈을 나누어 가지고 있었다.

4. 현금 중에서도 오늘 쓸 분량만큼만 가지고 나가라. 아니면 돈을 분산해서 넣어두어라. 이 부분을 실천하지 못해서 내가 가지고 있던 현금을 모두 도난당했다. 오늘 점심 먹을 부분이나 기념품 사고 싶은 만큼만 가지고 나가라. 이것이 귀찮으면 돈을 지갑에 얼마, 화장품 파우치에 얼마, 이어폰 케이스에 얼마 이런 식으로 나누어 가지고 다녀야 한다.

5. 소매치기당하지 않기 위한 방법들에는 몇가지가 있다.

1) 현금을 양말과 운동화 사이 바닥에 깔아둔다. 이건 정말 대단한 방법이다. 아무도 절대 못 가지고 간다. 단 지폐가 발바닥 밑에서 버석거릴 수 있다.

2) 가방을 앞으로 매고 다닌다. 앞으로 매는게 생각보다 불편하다. 그리고 사진을 찍을 때마다 가방을 벗어야 한다. 가방 벗고 내리다가 도리어 더 정신이 없을 수도 있다.

3) 가방을 뒤로 매고 그 가방 위로 겉옷을 둘러 입는다. 모양이 나지는 않지만 이 방법을 쓴 사람들은 가방이 직접 노출되지 않아, 많이 안심된다고 한다. 이건 여름같이 옷을 가볍게 입을 때는 불가능하고 겉옷을 겹쳐 입는 시즌에 가능하다.

소매치기를 처음 당해봐서 놀랐다. 소매치기들이 나를 물로 봤나 싶어 기분이 나빴다. 어떻게든 그 포위를 뚫고 나갔어야 했는데, 당황하고 있었던 나에게 화가 났다. 나를 빨리 데리러 오지 않은 남편도 미웠다.

온갖 감정의 소용돌이가 휘몰아쳤다. 정신이 없고 입맛이 다 떨어졌다. 그래도 여권과 신용카드를 지켰다는 점과 다른 사람의 현금은 살아남았다는 점이 큰 위안이었다.

팔다리가 후들거리고 입안도 깔깔했지만, 다른 사람들도 먹어야지 싶어 남편과 딸내미와 같이 저녁을 먹었다. 두고두고 로마의 소매치기는 로마를 생각할 때 쓴맛으로 작용할 추억임이 틀림없다. 그 후로 로마에서 소매치기당한 너무나 많은 사람들의 이야기를 들었다.

소매치기에 대한 경험담이 끝도 없이 많이 나왔다. 로마에 이렇게 관광객이 많이 오는데 왜 경찰은 이들을 소탕하지 않는 것인지 도대체 알 수가 없다. **로마에서 무엇까지 해봤니? 소매치기까지 당해봤다!.**

04 버스에서 딱 만난 티켓검사원

지하철에서 털리고 나서 지하철 타는 것이 무서워졌다. 그래서 테르미니역 앞 버스 정류장에서 버스를 타고 가기로 했다. 보통 작은 버스정류장에는 버스표를 파는 곳이 없어서 기사에게 버스표를 산다.

그러나 테르미니역 앞 거대 버스 정류장에는 버스표를 파는 부스가 있었다(아래 사진 4). 거기서 버스표를 사서 버스를 탔다. 버스표 찍는 기계는 운전사 뒤쪽에 있다(아래 사진 1).

뒷문에서 탄 우리가 앞쪽으로 가고 있는데 갑자기 앞에서 버스표 검사원이 타더니 버스표를 보여달란다. 아직 안 찍었는데 말이다. 그래서 '방금 탔다. 찍으로 가고 있다'고 영어로 말했다.

검표원이 '아~ 잉글리시!' 하더니 그냥 지나갔다. 검표원이 지나가고 난 뒤에 운전사 뒤쪽에 있는 노란 기계에 버스표를 찍었다. 옆에 어떤 사람이 영어로 말을 건다.

어떻게 이 기계로 버스표를 사냐고 한다. 이 사람은 버스안의 기계로 버스표를 살 수 있는 줄 알고 기계를 쳐다보고 있었다. "나는 티켓부스에서 샀다. 드라이버에게 물어봐라"라고 말해주었다.

기차도 탈 때는 검표원이 없다. 운행 중에 검표원이 티켓 검사를 하고 다닌다. 버스도 이렇게 중간에 검표원을 만나게 되리라 생각도 못 해 보았는데, 처음 탄 버스에서 검표원을 만나니 검사를 하기는 하는구나 싶다.

그 다음에 버스를 탔는데, 이번에는 바닥에 큰 개가 누워 있다. 어떤 커플이 각자 개 한 마리씩 데리고 탔다. 개 한 마리는 개 주인이 안고 좌석에 앉아있고, 다른 한 마리는 바닥에 누워있다. 이 개가 푸들같이 작은 개가 아니라 사냥개처럼 큰 개였다.

두 마리 다 짖지도 않고 조용하지만, 바닥에 누워있는 개가 길을 가로막아 통행이 여간 불편하지 않았다. 이렇게 공공버스에 다른 사람들의 보행을 방해하는 개를 데리고 타도 되나 의문이 들었다. 뭔가 심기가 불편했는지 개가 짖기 시작했다.

익숙지 않은 흔들리는 버스가 개에게 편했을 것 같지 않다. 개 주인이 그다음 정류장에서 개를 데리고 내렸다. 버스 안의 다른 승객들의 반응으로부터 이탈리아는 개를 데리고 공공버스를 타는 게 이상하지 않은 나라구나 싶다.

버스정류장에는 그 정류장에 서는 버스들의 시간표가 빼곡하게 붙어있다(아래 사진 2). 그리고 몇 분 후에 몇 번 버스가 온다는 것을 알려주는 전광판이 서 있다(아래 사진 3). 이건 서울의 정류장과 비슷하다.

버스를 타고 다니니 창밖으로 로마 시내를 둘러볼 수 있어 씨티투어 버스를 타고 다니는 것 같다. 지하철보다 더 마음이 편했다. 버스 안에는 웬지 소매치기도 없을 것 같은 느낌이었다.

그러나 버스에서도 소매치기당했다는 글이 많았다. 로마에서는 언제나 경계하고 조심해야 한다. 여행과 경계! 나를 풀어놓고 새로운 것을 받아들이려고 가는 것이 여행인데 내 것을 잃어버리지 않으려고 경계해야 한다니...

뭔가 모순된 분위기 속에서도 로마 여행은 계속되었다. 예전에 지방에서 서울로 상경하던 시절, '서울에 가면 눈 뜨고 코 베인다'라는 말이 있었다. 어리바리한 사람들을 대상으로 서울역에서 소매치기나 사기 치는 사람들이 많아서 생긴 말이다.

이탈리아에 사는 친구의 이탈리아인 남편이 이렇게 말했다고 한다. "로마에 가면 5유로짜리 지폐도 남들 보이게 꺼내면 안 된다." 이탈리아 사람도 로마에 대해 그렇게 말한다는 것을 듣고 박장대소 웃어버렸다.

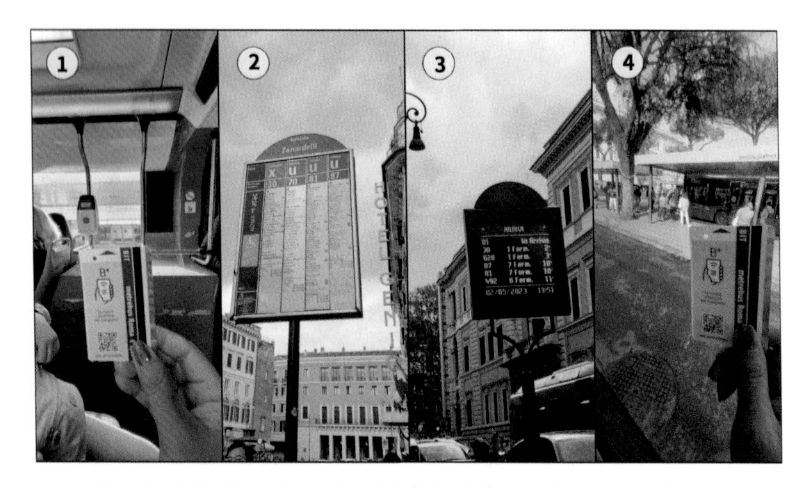

1.버스운전석 뒤에 저 노란박스에 터치해야 한다. 2.정류장에 붙어있는 버스시간표 3.어느버스가 몇 분안에 온다는 알림표 4.테르미니역 앞 버스정류소에서는 사람이 버스티켓을 파는 부스와 티켓 머신이 둘다 있다.

05 관광지의 탈것들 : 관광버스, 소형버스, 보트, 꼬마 기차

#이탈리아 관광버스와 소형버스 타보기

로마에서 출발하는 이탈리아 남부 투어에 참여하게 되어 이탈리아 관광버스를 탔다. 로마 시내에는 차량 통행을 제한하기 위해서 ZTL zone (아래 사진 1)이 있다. 이 ZTL 존은 관광객이 많은 이탈리아 대도시에는 다 있다.

로마의 경우 외곽 어느 시점 부터는 ZTL zone 통행 허가를 받은 차만 그 안으로 들어올 수 있고, 그 통행 허가가 없는 차가 ZTL zone 안에 들어오면 벌금을 내야 한다. 관광버스는 그 허가를 받고 들어온다.

관광버스의 내부는 한국과 같다. 나름 쾌적하다. 가는 길에 휴게소도 들렀다. 우리나라 휴게소와 달리 휴게소 안에 '아마존 락커'가 있었다(아래 사진 2). 아마존 물품이 여기로 배송된다는 것 같은데, 왜 휴게소로 배송이 오는 걸까?

들어가자마자 화장실 줄과 커피 줄이 생긴다. 커피머신 여러대가 쉴 틈 없이 돌아간다. 그런데 커피를 대부분 잔으로 준다. 특별히 테이크아웃이라고 하지 않으면 기본이 잔으로 나온다.

우리나라 휴게소에서도 커피를 잔에 마셔본 기억이 없어서 좀 놀랐다. 여기는 기본이 종이컵이 아니고 커피잔이다. 그리고 사람들이 Bar에서 커피를 서서 마시는 습관이 있어서 그런지 테이블이 비어있는데도 Bar에 서서 마시고 있는 사람들이 많았다.

아말피 코스트에 내려서 소형 버스로 갈아탔다. 마을버스 느낌이다. 길을 보니 소형버스로 갈아타야만 하는 이유를 알겠다. 길이 너무 좁다. 예전부터 있던 길에 양쪽으로 기념품을 파는 가게들이 줄지어 서 있어서 길 확장에 어려움이 있을 것 같다.

그 좁은 길에 버스와 사람들이 모두 통행해서 몹시 혼잡했다. 좁은 길 초입에는 주차장이 있었고, 좁은 길을 들어가다 보니 또 주차장이 있었다.

아래 방향으로 내려가다가 더 이상 차량이 갈수 없는 지점에서 내려주었다. 조금 가다보니 계단이 나오고 사람도 더 많고 복잡해진다. 이탈리아의 관광버스를 타고 지방을 내려가 보는 경험도 신선했다.

#여행을 더 다양하게 즐기는 방법

나는 개인적으로 여행지에서는 온갖 교통수단을 다 이용해 보는 것을 좋아한다. 남부 투어에서 보트 타기 옵션이 있어서 당연히 신청! 9명이 모두 구명조끼를 착용한 후 정말 작은 고무보트에 탑승했다. 포지타노 보트에 대한 총평을 말하자면 '타라!'다. 이 부분은 제5장 03 이탈리아 남부 투어 편을 참조하기 바란다.

사실은 케이블카도 좋아해서, 이탈리아에 케이블카가 있었다면 당연히 탔다. 이탈리아를 다니면서 본 곳 중에 케이블카가 있는 곳은 한 곳도 없었다. 예전의 것들을 유지 보수하는 것만으로도 바빠서, 현대식 건축물인 케이블카는 만들지 않는 게 아닐까?

꼬마기차 타는 것도 좋아한다. 보르게세 공원에 가면 꼬마기차가 돌아다닌다(아래 사진 3). 정류장이 몇 군데 있고, 그걸 타고 미술관도 갈 수 있다. 이용료는 5유로인데 기사에게 그냥 주면 된다.

어떤 사람은 운행하고 있는데 갑자기 소리를 지르더니, 여기서 내리겠다면서 내린 사람도 있다. 어디에나 정류장이 아닌 곳에 내려달라는 사람이 있다. 이건 세계공통인가보다. 보르게세 공원 꼬마기차 편은 **제7장 04 포폴로 광장과 핀쵸언덕 전망대, 보르게세 공원, 캄포 데 피오리 시장** 편을 참조하기 바란다.

#로마에서의 운전은 고난이도다!

일방통행이 많고 길은 좁다. 눈치 봐야 하는 로타리가 계속 나온다. 여기를 어떻게 운전하고 다니는지 모르겠다. 게다가 차도에 오토바이와 택시, 자동차, 관광버스까지 온갖 교통수단이 다 한꺼번에 달린다. 로마에서 운전하면 스트레스 받아서 원형탈모가 올 것 같다.

주차 공간도 부족한데 주차장도 작다. 그래서 소형차가 주류인 듯하다. 모닝급의 차가 대다수다. 그리고 오토바이 주차장도 따로 있었다. 초보 운전자들의 이런 스트레스를 줄여 주기 위한 초보운전자용 스티커가 있다. 바로 'P 스티커'다(아래 사진 4).

크고 붉은 P 마크를 프린트해서 붙인다. 또는 시청인지 구청에 가서 받는다. 이 스티커를 붙이면 다른 운전자가 알아서 피해 간다고 한다. 뭔가 '절대 반지' 같은 느낌이다. 그러나, 그 절대 반지를 벗는 순간 무질서 속에 질서를 터득해야 하는 진땀 나는 시간이 올 것 같다.

1.로마 시내의 ZTL zone표시판 2.고속도로 휴게소에서 만난 아마존 락커 3.보르게세 공원 꼬마기차 4.초보운전자의 표시인 P 스티커 .

06 오토바이와 렌트카

로마 기념품을 보면 빨간 오토바이가 있다. 영화 '로마의 휴일'에서도 오토바이가 길에 엄청나게 많이 다니는 것을 볼 수 있다. 그 영화는 옛날 영화니까 그때는 오토바이가 많았나 보다… 라고 생각했었는데, 여전히 오토바이가 많다.

주차장도 일반 자동차용 칸과 오토바이용 주차 칸이 따로 있다. 크기가 다르다. 한쪽에 오토바이들이 많이 줄지어 서 있다. 좀 신기했다. 우리나라는 주차장이 거의 자동차용이고 오토바이를 위한 주차 공간은 잘 보지 못했는데, 여기는 한쪽은 자동차 공간, 그 옆엔 오토바이 공간 이렇게 되어 있었다.

그동안 지하철을 타고 다니느라 지상 세계를 잘 모르다가 버스를 타고 다니면서 보니 오토바이가 많았다. 신기했던 것은 중앙선을 따라 달리고 있는 오토바이다. 오토바이가 운행하려는 차선이 막히면, 중앙선 그 얇은 노란색 두 줄을 차선인 것처럼 타고 달리는 것이다.

저렇게 달려도 되나 싶은데 그렇게 달리는 오토바이가 한두 대가 아니다. 어떻게 보면 교통법규 위반 같고… 뒤집어서 보면 창의적인 해결법인 것 같고… 한 사건도 어떻게 보느냐에 따라 달리 보이는 게 세상이다.

로마 여행을 끝내고 토스카나로 렌터카 여행을 하기 위해 렌터카 오피스로 갔다. 렌터카 오피스는 테르미니역에 많이 있지만, 그들이 자동차를 가지고 있는 것은 아니다. 테르미니역 근처에는 차를 보관하고 있을 주차장이 없다. 그래서 예약은 테르미니역에서 할 수 있지만, 자동차를 찾으러 가려면 외곽에 있는 오피스로 가야 한다.

ZTL zone 밖에 위치한, 외곽에 있는 렌터카 오피스에 갔다. 여기도 주차 공간이 넉넉지 않았다. 주차장 없이 운영하는 렌터카 오피스는 처음 봤다. 길가에 일렬주차가 그냥 렌터카 주차장이었다. 이렇게 주차해서 렌터카를 몇 대나 돌리는 걸까?

우리가 렌터카를 받고 길가 일렬주차에서 빠져나오려 하니 벌써 우리 뒤에 그 주차 공간에 들어오겠다고 줄을 섰다. 주차 문제가 아주 심각해 보였다. 도심으로는 자동차도 못 가지고 들어가고 주차 공간도 부족하니 오토바이를 많이 이용한다.

어느 가이드의 말처럼 '로마의 역사 지구는 관광객을 위한 공간이다'라는 말이 실감이 났다. 이렇게 주차도 힘들고 사람도 항상 많고 소매치기도 많으면 역사 지구 안에 사는 사람은 관광객을 상대하는 사람들뿐이겠다.

관광객 상대가 일이었던 사람들에게 관광객이 사라진 코로나 시기는 어떤 의미였을까? 애증의 관계였던 관광객이 사라지면서 조용하고 혼잡하지 않지만, 수입은 없는 상태였을 것이다. 이런 경험 후에 맞는 관광객들에게는 좀 더 친절해질 것도 같은데, 내가 느낀 경험으로는 친절한 것 같지는 않다.

제5장

현지 투어 상세후기

아는 만큼 보인다

01 바티칸 박물관 투어

#바티칸 박물관 투어를 신청한 이유는

바티칸 투어를 신청하게 된 이유는 바티칸 박물관을 나오면서 뭐라도 기억에 남기고 싶었기 때문이다. 가이드 없이 들어가면 그냥 그림들을 쓱쓱 스쳐 지나가게 된다. 사람들이 많이 서 있으면 뭔가 있나 보다 기웃거리고, 아니면 슬슬 보고 지나가고... 그러다 보면 다리 아파져서 매점 가서 커피마시고... 결국엔 큰 기억 없이 나온다.

이번 바티칸 박물관은 좀 제대로 보고 싶어 미리 유로자전거나라에서 바티칸 투어 신청을 했다. 여기서 알려주고 싶은 팁은 '일반투어 하지 말고 꼭 프리미엄 투어를 신청해라'다. 일반 투어보다 프리미엄 투어는 당연히 더 비싸다.

그러나 그 비싼 것을 신청하라고 권하는 이유는 그 가격 이상으로 몸과 마음의 평화가 있기 때문이다. 바티칸 투어를 하기 전날에 유로자전거나라 가이드가 단톡방을 만들었다. 내일 미팅 시간을 조금 당긴다는 공지가 떴다.

7시 반에 만나기로 했었는데 7시에 만난다고 했다. 바티칸 박물관 문이 열리기 전에 줄을 서야 하는데, 조금 늦으면 입장 시간이 많이 늦어진단다. 7시에 만나서 걸어서 이동하여 약 7시 20분부터 바티칸 박물관 벽을 따라서 줄을 서기 시작했다(아래 사진 1).

4월 말 인 데도 아침 7기 반의 공기는 차가웠고, 담벼락 그늘에서 거의 3시간을 서 있었더니 춥고 배고프고, 다리 아프고... 박물관에 들어가기도 전에 '왜 이걸 신청했을까...' 하는 후회가 몰려왔다.

그런 우리 일행의 옆을 휙휙 지나쳐서 바로 입장하는 사람들이 있었으니! 바로 그 사람들이 프리미엄 티켓을 산 사람들이었다. 3시간을 기다려 바티칸 박물관 티켓을 손에 쥐었을 때는 너무 기뻐 눈물이 날 지경이었다(아래 사진 2).

#여행지에서 시간은 돈이다

프리미엄 티켓을 산 사람들은 시간도 돈으로 다 지불한 셈이다. 장시간을 기다리지 않고, 바로 입장하는 사람들이 많이 부러웠다. '돈은 이래서 벌어야 하는 것이구나' 하는 마음이 들었다. '돈을 왜 벌어야 하는가'의 이유를 이번 여행에서 많이 느꼈다.

바티칸 담벼락에서 기다리는 시간 동안 가이드가 중요한 작품 설명을 했다. 그걸 듣고 들어간 것이 많은 도움이 되었다. 물론 안에서도 설명을 해준다. 로마는 외국인 가이드가 인솔할 때 자국인 가이드도 한 명 꼭 같이 인솔하게 되어 있단다.

이 좋은 일자리에 이탈리아 할머니, 할아버지들이 아르바이트 하는 것 같다. 이분들은 뒤에서 쳐지는 사람이 없는지 보고, 뒤에서 백업을 해준다.

어떻게 보면 이분들이 있어서 앞에서 한국인 가이드가 설명하고 진행하는 데 도움이 된다. 나도 사진 찍으며 가다가 뒤처졌는데 이탈리아 할아버지 가이드가 나를 챙겨서 데려갔다. 바티칸 박물관에 들어가자마자 매점으로 향했다.

가이드가 커피도 사 마시고 화장실도 다녀오라고 시간을 주었다. 아침식사용으로 구성된 커피와 크루아상 의 맛을 지금도 잊을 수가 없다. 아침부터 뛰쳐나와 3시간을 서 있다가 마신 커피 맛이 감동인것은 진리!

심지어 1회용 커피 컵에도 교황청의 문장이 딱! 하니 박혀있다. 마치 “여러분은 이제 교황의 영지에 들어섰습니다~”하고 말하는 듯하다(아래 사진 3). 그림들과 조각들도 정말 많이 봤다. 가이드의 설명을 들으며 보니 그림이 이해된다. 그림도, 조각도 스토리와 함께 감상하니 더 마음에 남았다.

#솔방울 정원이 마음에 남았다

인상적이었던 것은 솔방울 정원이다. 왜 청동 솔방울을 바티칸 박물관 정원에 두었을까? 솔방울 모양 조각이 가정집의 대문 위에 또는 담장 위에 장식된 것도 봤다. 심지어 기념품에도 솔방울 장식이 있었다.

그래서 알아보니, 공기를 정화하는 솔방울처럼 죄를 씻어내고 자신을 정화하라는 종교적 의미가 있다고 한다. 솔방울을 겨울철 트리나 리스 장식품 정도로 생각하고 있었는데, 솔방울의 새로운 의미를 알게 되었다.

솔방울 정원에는 금빛으로 빛나는 지구본이 있다. 그 지구본이 사람의 힘으로 돌아가고 있었다. 그래서 어떤 때는 돌고 있고 어떤 때는 쉬고 있다. 당연히 전동으로 돌고 있다고 생각했었는데, 사람이 돌리고 있다니! 무슨 그리스와 로마 신화의 이야기 같다(아래 사진 4).

바티칸 박물관은 꼭 가이드 투어를 하기를 권한다. 성 베드로 성당과 쿠폴라에만 올라갈 거면, 바티칸 박물관에 굳이 안 들어가 봐도 된다. 그러나 교황청이 모은 그 수많은 문화유산을 보고 감상하려고 마음먹었다면, 가이드 투어를 통해 제대로 된 설명을 듣고 감상하기를 추천한다. 마음에 바티칸 박물관을 담은 채 바티칸을 떠나기를 바란다.

1.바티칸 박물관 입구 담벼락에서 3시간을 서서 기다렸다. 2.정말 눈물나게 반가운 바티칸 박물관 티켓! 3.바티칸 박물관 내 매점. 커피컵에도 교황의 문장(삼중관과 2개의 열쇠)이 그려져 있다. 여기 커피랑 크로와상 세트로 파는데 맛있다. 4.금색 공 모양의 조형물은 사람의 힘으로 돌아가는 중이다.

02 콜로세움 / 포로 로마노 투어

유로자전거나라에 콜로세움/포로로마노 가이드 투어가 없어서 마이리얼트립을 통해 예약했다. 마이리얼트립에는 너무나 많은 상품이 있어서 선택하기가 정말 힘들다. 그중에서 리뷰가 많은 것을 골라 예약했다. 그리고 투어 전날 단톡방이 열리고 공지사항이 왔다.

#콜로세움 투어를 리뷰하자면...

콜로세오 역에서 내려서 가이드를 만났다. 이 투어는 현지인이 같이 들어가지 않아도 되는지 현지인 대신 여행사 사장님이 뒤에서 낙오되거나 쳐지는 사람을 챙기고 있었다. 콜로세움 앞에서 잠시 사진 찍고 티켓을 받았다. 일단 각자 들어가서 안에서 다시 만나고 수신기도 받았다.

콜로세움/포로로마노 티켓은 꼭 예약해야만 한다. '로마에 온 김에 가볼까?' 해서는 표를 살 수 없다. 로마 여행 전에는 꼭 가 보고 싶은 곳의 티켓은 미리 구매해 두자. 우리가 구매한 티켓은 콜로세움 아래까지 내려가는 티켓은 아니고 위에서만 보는 티켓이었다.

다큐멘터리나 유튜브로 콜로세움에 대해 많이 봤음에도, 2차원으로 보던 공간이 3차원으로 나를 감싸는 경험은 소름이 돋을 만했다. 그 공간감이 대단했다.

이렇게 큰 건물을 그 옛날에 변변한 기계도 없이 만들었다니... 탄성이 계속 나왔다. 콜로세움 아래까지 내려가서 위를 올려다보면 그 당시 지하에서 대기하고 있던 검투사들의 마음이 느껴질까 하는 생각이 들었다.

가이드는 '예전에는 이랬을 것이다'라는 책을 보여주며 설명했다. '복원한다면 이런 모습일 것이다'라는 예상도를 만들어 놓은 책이었다. 이해는 되었지만, 설명이 좀 기대에 못 미쳤다.

너무 책에 의존하는 느낌이다. 같이 온 일행끼리 사진을 찍어주는데 내가 찍는 게 더 나아서 직접 찍었다. 왠지 살짝 임시로 나온 분이 아닐까 하는 의문이 들었다.

#포로 로마노 투어는 자율학습을 필요로 했다

콘스탄티누스 개선문을 보고 티투스 개선문을 지나 포로로마노로 갔다. 포로 로마노에서의 설명은 더 별로였다. 사람은 많은데 하나로 집중시키지 못해서 어수선했다. 가이드가 너무 빨리 걷다 보니 대열이 길게 늘어져서 뒤에 있는 사람들은 수신기를 꼈는데도 제대로 잘 안 들렸다.

사실 이 투어를 선택한 가장 큰 이유는 포로로마노 가이드를 잘 받고 싶어서였다. 콜로세움은 많이 봐서 대략 뭔지 알겠는데, 포로로마노는 가이드가 없으면 그냥 '여기 돌이 많네...'하는 느낌으로 슬슬 걷다가 올 것 같았다. 그 유적들의 스토리를 듣고 싶었다.

그런데 몇 개 설명해 주더니 빗방울이 떨어지려고 하고 끝날 시간이 되었다면서 설명도 제대로 안 해주고 마쳐버렸다. 좀 황당했다. 근처 식당 안내 해주고는 점심 먹으러 갈 사람들 모아서 가버렸다. '앗! 이렇게 흐지부지 끝나버려도 되는 건가?' 싶은 정도였다.

같이 투어했던 다른 분도 '많이 부족하네...'하며 혀를 찼다. 여행지에서 가이드의 역할이 그 여행의 만족도를 얼마나 좌우하는지 알게 되었다. 후기는 정말 좋은 후기 아니면 화가 나는 나쁜 후기를 쓰게 되는 것이구나를 진정으로 느꼈다. 후기가 쓰고 싶어졌지만 참았다.

우리는 좀 더 남아서 유적들을 보다가 나왔다. 알아서 나머지 공부를 했다. 유튜브와 블로그를 그 자리에서 찾아보면서 이 기둥은 무엇이고 로마의 중심이라 불리는 배꼽은 무엇인지 찾아다녔다. 가이드는 "저기로 가면 로마의 배꼽이 있다"가 끝이었다.

로마의 배꼽이 뭔지, 왜 저기에 있는지 등등에 대해 말해 주길 기다렸지만 설명은 더 이상 없었다. 정말 찾아보지 않으면 모를 정도의 하얀 돌이 기둥 옆에 박혀 있었다. 이 돌이 '로마가 시작된 이곳이 세계의 중심이다'라는 뜻으로 세운 로마의 배꼽이다.

그 옆에는 둥근 구덩이가 있다. 이곳은 로마를 세운 로물루스가 매년 처음 수확한 열매를 희생제물로 제사를 지내던 곳이란다. 한 부분만 봐도 이렇게 유적에 대해 이야기 해 줄것이 많은데, 카이사르의 화장터와 로물루스 신전 정도 설명해 주고는 끝났다. 이렇게 가이드 받을꺼면 신청 안했어도 되었을 것 같다.

바티칸 박물관의 가이드는 정말 똑 부러지게 잘했다. 바티칸 박물관에서도 사람이 많았지만 다 인솔하고 설명하고 쉬게 해주고 포인트 짚어주고 사진도 잘 찍었다. 완벽했다. 갑자기 유로자전거나라에 무한신뢰가 가기 시작했다.(참고로 유로자전거나라와 1도 관계가 없음.)

현지 관광의 핵심은 가이드다! 고객에게 만족을 주는 회사가 성장할 수 있다. 현지 관광을 고를 때는 믿을만한 회사를 보고 고르기를 추천한다. 이 포로로마노 관광도 리뷰가 많고 평점도 좋았지만, 내용은 실망스러웠다. 리뷰의 신뢰성에도 의문이 간투어였다.

03 이탈리아 남부 투어

#이탈리아 남부 투어를 신청한 이유는

로마에 오는 많은 사람들이 한다는 남부 투어를 신청했다. 신청한 이유는 첫째로는, 이탈리아 남부는 개인 여행으로 다니기가 어렵기 때문이다. 둘째로는, 앞으로의 여행 일정이 북쪽으로 진행되기 때문에.

남부 투어를 따라가지 않으면 남쪽은 구경조차 할 수 없겠다 싶어서다. 1박2일 코스와 당일 코스가 있다. 1박 2일 코스로 카프리까지 가고 싶었다. 이미 투어 신청을 많이 해서 비용이 부담되어 당일 코스로 유로자전거나라에 신청했다.

투어 전날인데 아무 연락이 안 왔다. 앞서 두 개의 투어에서 투어 전날 단톡방이 열려서 당연히 그런가 보다 했다. 아무 연락이 없어서 혹시 신청이 누락된 것은 아닌가 하는 불안한 마음에 카톡으로 문의하니 보통은 단톡방이 열리지 않는다고 한다. 그냥 그 시간에 맞춰서 나가면 된단다.

아침 7시에 테르미니역 앞 편의점에서 만나기로 되어 있었다. 7시 10분 전에 도착했다. **버스의 오른쪽으로 앉아야** 가는 길에 바다 전망을 잘 볼 수 있다고 해서, 오른쪽으로 앉아야지 하고 탔다.

이게 웬걸! 벌써 버스 안이 많이 차 있고 가장 뒷자리만 오른쪽 자리가 남아있었다. 어쩔 수 없이 가장 뒤에 앉았다. 알고보니, 우리가 가장 마지막에 온 것이었다. 7시 10분 전이었는데 말이다.

언제부터 한국 사람들은 이렇게 일찍 다녔던 것일까? 거의 모든 투어에서 시간보다 늦게 온 사람이 없다. 서로의 시간을 소중히 여겨주는 정말 훌륭한 국민이다. 이번에 대한민국 국민으로서의 자부심을 많이 느꼈다. 한 가지 아쉬운 점은 서로 간섭하지도 않고 돕지도 않는다.

버스를 타고 30분 정도 설명을 듣고 잠시 눈 붙이니 출발한 지 2시간 만에 휴게소에 왔다(아래 사진 1). 이탈리아 휴게소도 궁금했다. 우리나라랑 비슷한데 규모가 작다. 화장실도 깨끗했다.

커피는 일리 커피이고 뒤에 앉아서 먹을 수 있는 자리가 많이 있다. 휴게소에 내리기 전에 포지타노에서 보트 탈 사람은 신청하라고 했다. 버스가 떠나기 전에 가이드에게 보트 타겠다고 했더니 이미 마감이란다.

가이드가 개인 카톡을 알려주었는데, 개인 카톡으로 신청이 마감되었단다. 이럴 수가!

앞에서 말한 것처럼 우리 가족은 어디를 가던 탈것 타는 것을 좋아한다. 배나 케이블카 꼬마기차 등 직접 경험한 것이 기억에 많이 남아서 꼭 타는 편이다.

우리 말고도 나처럼 늦게 신청한 사람이 여러 명 있었다. 그래서 다른 버스로 오고 있는 남부 투어 팀의 보트에 자리가 나면 태워주겠다고 했다. 다행히 보트를 탈 수 있었다. 휴게소 이후부터 소렌토와 남부지방에 대한 설명을 들으면서 갔다.

이탈리아가 통일될 때 북쪽이 공업지역이 되고 남쪽은 농업지역이 되면서 남북 간 소득 차이가 많이 벌어졌다. 경제적 격차로 인해 남북 간에 감정의 골이 깊어졌다. 밀라노를 중심으로 북쪽이 분리독립을 주장하기도 했다.

이런 상황에서, 올해 세리에A 매치에서 김민재가 속한 나폴리 팀이 사실상 우승을 확정하면서 가는 곳마다 축제 분위기였다(아래 사진 2). 축구로 남쪽의 자존심을 세웠다며 기뻐하고 있었다. 축구팀 컬러인 하늘색과 하얀색 리본을 길에 매달고 장식해서 보기가 좋았다.

축구팀 선수 전원의 사진을 걸어놓은 곳이 많아서 지나가면서 김민재의 사진도 여러 번 볼 수 있었다. 김민재 덕분에 한국에 대한 이미지도 좋은 상태라고 한다. 외국에 나가면 '국민 한 사람 한 사람이 모두 민간 외교관이다'라는 말이 실감 났다.

어떤 청년은 김민재의 유니폼을 입고 포지타노에 갔다가 이탈리아 미녀가 다가와 갑자기 볼뽀뽀를 해주고 갔단다. 이 정도로 남부 사람들의 축구에 대한 기쁨이 상당했다.

소렌토 전망대(아래 사진 3)에서 사진을 찍고 포지타노로 이동했다. 소렌토 전망대에서 보는 항구의 모습이 아름다웠다. 날씨가 흐려서 지중해를 바라보고 있는 소렌토 전망대의 아름다운 모습을 사진으로 다 담지 못해 안타까웠다.

여행에서 날씨는 천운이다. 날씨가 좋을 때가 성수기인 것은 다 이유가 있다. 비수기가 가격도 저렴하고 사람도 덜 붐비고 더 쾌적하게 여행할 수 있다.

그런데도 비수기인 이유는 대부분 겨울이라 춥고 해가 짧거나, 우기라 비가 많이 오는 기간이기 때문이다. 저렴하다고 비수기에 여행갔는데, 계속 비오고 추워서 이동하기 어렵다면 여행을 100프로 즐길수 있을까?

성수기에는 사람이 너무나 몰려서 사람에 치여 다닌다. 내가 생각기에 제일 좋은 시기는 가려고 하는 여행지의 성수기 전 후로 한 달 정도다. 대부분의 경우 6-8월이 최성수기이니 5월이나 9월을 추천한다.

#포지타노에서는 시간이 빨리 흐른다

포지타노에서는 마을버스 같은 소형버스로 갈아타고 좁은 길을 따라 내려갔다. "보트 탈 사람은 몇 시까지 어디로 오세요." 한 후 자유시간을 가졌다. 길을 따라 양쪽으로 가게들이 많아서 구경하다 보면 어느덧 바닷가에 도착한다.

보트를 탈 때까지 시간이 있어서 점심을 먼저 먹었다(**제2장 03 로마 레스토랑 가이드** 편 참조). 시간이 갈수록 선착장에 줄 서 있는 사람이 늘어났다. 이 줄은 다른 섬으로 가는 페리를 기다리는 줄이란다.

이 페리 티켓도 몇 개월 전에 예약해야 한단다. 페리를 좀 더 투입하고 자주자주 다니면 되지, 왜 이렇게 사람들이 서서 오래 기다리게 하는지 모르겠다. 관광객 수를 제한하는 걸까?

드디어 보트를 탔다. 보트는 1인당 20유로다. 작은 배인데 구명조끼는 입었지만 뭔가 붙잡을 곳이 변변치 않은 작은 배다(아래 사진 5). 고무보트 같은 배를 타고 바다로 나갔다. 비가 올 것처럼 날이 흐렸지만, 배를 타니 신나고 여행 온 기분이 났다.

동굴 속 바다가 정말 코발트색으로 푸르게 보이는 푸른 동굴에 들어갔다(아래 사진 6). 자연은 경이롭다! 어쩌면 그 동굴 속만 이렇게 바다가 영롱한 파랑색일까? 그 코발트색이 동굴의 천장에 비춰 빛이 아롱거리며 환상적인 분위기를 자아냈다.

해안가를 따라 드문드문 있는 마을마다 집들의 색이 달랐다. 어떤 마을은 흰색으로 다 칠해져 있고, 어떤 마을은 알록달록하다. 어부들이 조업을 나갔다가 돌아올 때 자기네 마을을 찾기 쉽도록 마을마다 컬러를 달리했다고 한다.

지금은 이 컬러들이 해안가를 수놓는 아름다움이 되었다. 배를 탈까 말까 망설인다면 '배를 타라'고 권하고 싶다. 바다에서 보는 포지타노 해안의 모습이 흐린 날 이었음에도 아름다웠다. 날씨가 좋으면 정말 그림같이 보일 것 같다.

깎아지른 절벽 위에 위치한 리조트는 그 밑으로 암벽을 뚫고 엘리베이터를 만들어서 바다 가까이에 비치 의자를 두었다. 아! 대단한 곳이었다. '무엇이든 안되는 것은 없구나!'를 보여주는 곳이었다.

배를 타고 나서 다시 집합장소로 올라가면서 레몬 사탕과 냉장고 자석 등의 소소한 기념품을 샀다. 레몬을 주로 한 다양한 제품이 있었다. 대부분이 레몬 사탕과 리몬 첼로지만, 레몬 향의 향수라던가 방향제도 있고 그릇과 옷, 그리고 그림 등도 많이 있었다.

어찌나 예쁜지 소매치기만 안 당했으면 지갑이 다 열렸을 것 같다. 포지타노에서 쓸 돈을 소매치기에게 다 준 것 같아 또다시 속이 쓰렸다. 레몬사탕과 장식품을 샀다. 포지타노의 레몬은 자몽같이 컸다(아래 사진 8).

포지타노를 떠나기 전에 바라본 마을은 색색으로 아름다움 집들과 벽돌 깔린 길이 고풍스러우면서도 정겨운 느낌이었다(아래 사진 4). 나중에 다시 온다면 포지타노에서만 며칠 머물고 싶다는 생각이 들었다.

#폼페이에서 가이드 투어가 빛을 발했다

다시 버스를 타고 폼페이로 향했다. 폼페이에서는 유적지 들어갈 때 또 현지인 가이드가 나왔다. 이 가이드는 잘생긴 이탈리아 축구선수 같다(아래 사진 7).

역시 유적지는 노련한 가이드와 함께 와야 한다. 폼페이 유적에 대한 설명을 들으면서 유적을 만나니, 왜 이렇게 지어졌고 무엇을 하던 곳이고 이곳의 문명은 어땠는지가 머릿속에 쏙쏙 들어온다.

폼페이는 계획도시였다. 구획정리가 바둑판처럼 되어있고 필요한 시설이 동선에 따라 배치되어 있었다. 그 당시에도 위생을 위해 도시 입구에 검역소를 만들고, 수로로 물을 끌어오는 현대적인 도시계획을 했다니! 알수록 놀라웠다.

부자들의 집에는 정원의 흔적과 대리석으로 아름답게 꾸민 바닥이 남아 있었다. 화산재에 덮여 그대로 미라가 된 채 보존된 사람들의 이야기는 마음 아팠다. 그 사람들이야말로 '마른하늘에 날벼락'이지 않았을까?

갑자기 화산이 터지고, 미쳐 도망갈 타이밍을 못 맞추고, 그 자리에서 그대로 화산재를 뒤집어쓴 채, 질식해서 미라가 되었다. 나와 있는 미라는 모두 모조품이고 진품은 모두 나폴리 박물관에 보관되어 있다고 한다.

폼페이의 스토리는 어릴 적 읽었던 '폼페이 최후의 날'이라는 책을 기억나게 했다. 상당히 인상 깊게 읽었던 책이었다. 그 책 속의 배경인 진짜 '폼페이'에 와 있다니... 그리고 그 화산재의 유적 위에서 설명을 듣고 있다니... 잠시 꿈 같았다.

화산재로 인한 자연재해가 남 일 같지 않은 것은, 요즘 산불이나 홍수 같은 자연재해가 너무 빈번하기 때문이다. 자연재해는 예측하고 대비할 수는 있지만 막을 수는 없다. 먼나라 이야기로 느껴지던 활화산의 존재가 여기에 와보니 무서워졌다.

후에 남부 투어를 다녀온 다른 사람을 만나 투어 이야기를 할 기회가 있었다. 그 사람도 보트 탄 것하고 폼페이가 가장 기억에 남는다고 했다. **백문이 불여일견! 이라는 말이 훅 들어온 하루였다.**

이탈리아 남부의 아름다운 모습도 폼페이의 역사적인 모습도 책보다 더 선명하게 마음속에 박혔다.

1.고속도로 휴게소의 모습 2.나폴리 축구팀의 세리에A 우승확정으로 남부지방이 축제분위기였다. 3.소렌토전망대 4.포지타노의 절경 5.보트타기는 강추한다. 6.보트타고 가서 보는 푸른동굴 7.폼페이 투어의 현지인 가이드 8.포지타노의 자몽크기의 레몬

제6장

성당만 봐도 로마에 온 보람이 있다

성당 투어

01 바티칸의 핵심 성 베드로 대성당과 쿠폴라

#쿠폴라에 올라갈까 말까 고민한다면?

바티칸 박물관 투어는 1시경 성 베드로 성당에서 끝난다. 성 베드로 대성당의 백미는 '피에타상'이다. 그 앞에는 항상 사람이 많아서 피에타 앞에서 소매치기를 많이 당한다고 한다.

그래서 우리 투어그룹은 피에타상에서 멀찍이 떨어져서 베드로 성당에 대한 설명을 들었다. 가이드의 마지막 일정은 사진찍기다. 같이 온 일행(가족이나 친구 혹은 혼자)끼리 사진 찍어 주고 맛집도 알려주고 끝났다.

정문으로 나가다 보면 성당 내부에서 나갈 때 오른쪽으로 긴 줄이 서 있는 걸 보게된다. 쿠폴라에 올라가는 줄이다. 쿠폴라에 올라가는 줄은 두 종류다. 계단으로 올라가는 줄은 8유로이고, 엘리베이터를 이용하는 줄은 10유로로 조금 더 비싸다(아래 사진 1).

가이드가 계단으로 올라가는 것도 좋다고 추천했다. 올라가는 동안 밖을 내다보며 한층 한층 올라갈 때마다 변화를 느껴보라고 했다. 올라가는 길은 가파르고 숨이 많이 찼다(아래 사진 2).

대부분 사람들이 엘리베이터로 올라가서, 계단은 의외로 한산했다. 성수기 때는 이 계단에 사람이 너무 많아서 밀려서 올라가게 된다고 한다. 엘리베이터가 쿠폴라 끝까지 올라가는 것이 아니라 중간까지만 간다.

거기서부터는 계단 이용자들과 마찬가지로 계단으로 꼭대기까지 가야 한다. 엘리베이터에서 내려서 계단으로 올라가기 전에 중간 휴게소가 있다. 그리고 그 옆에 기념품 판매소와 우체통이 있다(아래 사진 3).

중간 휴게소에서 크로와상과 커피로 당 충전을 하고 정신을 차렸다. 힘들때마다 빵과 커피를 먹어서일까? 이상하게도 매일 거의 2만보를 걸었는데도 여행후에 체중은 크게 줄지 않았다. 정말 미스테리다!

휴게소 옆 기념품 판매소에서 한국 수녀님을 만났다. 여기로 파견 나온지 12년째라고 한다. 성베드로 성당에서 한국 수녀님을 만나다니! 왠지 성 베드로 성당이 나를 반기는 것 같다.

다시 기운을 내서 쿠폴라 꼭대기에 올랐다. 눈앞에 성 베드로 광장의 장관이 펼쳐졌다(아래 사진 4). 이걸 보려고 여기까지 왔구나! 그간의 숨참과 땀과 다리 후들거림을 다 잊을 만큼 좋았다.

동영상으로 이미 본 곳이었지만 직접 그 공간을 경험하니 감동이 몰아쳤다. 이런 장관을 2차원의 영상으로 다 담아낼수 없는 것은 너무나 당연하다.

여행 프로그램이나 유튜브 동영상으로 볼 때는 간접 경험이다. 공간과 날씨와 바람과 고생과... 모든 직접 경험과 감동이 여행의 핵심이다.

성 베드로 대성당만 보고 가지 말고 꼭 쿠폴라에 올라가기를 추천한다. 나도 전에는 쿠폴라까지 꼭 올라가야 하나? 올라갈까 말까 했는데, 올라와 보니 꼭 올라 가봐야 한다. 정말 베드로가 예수님에게서 받았다는 천국의 열쇠가 이런 모양일 것 같다.

#없던 신심도 생길 것 같은 성 베드로 대성당에서의 미사

쿠폴라에서 내려와서 성 베드로 대성당 내부를 둘러보기 시작했다. 내부도 말할 수 없이 화려하고 그림이 많았다. 지하에 무덤들을 둘러보다보니 그냥 밖으로 나와버렸다.

성 베드로 대성당에 가면 묵주를 사 오려고 생각했었기에 다시 들어가서, 기념품점에서 묵주를 샀다. 기본 묵주는 6-7유로다. 좀 비싼 것은 12-15유로 정도 한다. 묵주도 종류가 많아서 구경만 해도 한참 걸린다.

기념품점은 1, 2층이지만 전체적으로 크지 않았다. 특히 계산대 앞이 복잡하다. 소매치기 조심해야 한다. 성 베드로 대성당에서도 소매치기 조심이라니... 왠지 씁쓸했다. 그러나 다시 한번 가방을 단속했다.

성 베드로 대성당의 핵심인 발다키노도 보고(아래 사진 5), 시간이 지나면서 조금 헐렁해진 사이에 피에타도 여유 있게 보았다. 미켈란젤로가 밤에 와서 몰래 써 놓고 갔다는 이름을 찾아보려고 한참을 살폈는데도 찾지 못했다. 어디 뒤쪽에 새겨 둔 걸까?

이제는 나가야지 하고 있는데 음악 소리가 들렸다. 5시 평일 미사 시작이다. 이런... 아침 7시 20분에 바티칸 박물관에 줄을 서기 시작해서 5시까지 바티칸에서 머무르고 있었다. 바티칸에서의 하루를 미사로 끝내고 싶어졌다.

미사에 들어가려고 하니 경비원이 막는다. "여긴 구경하는 곳이 아니고, 미사하는 곳이다. 한번 들어가면 미사가 끝날 때까지는 못 나온다." 라고 한다. 그래서 "알았다."하고 들어갔다. 미사는 약 45분~50분 정도 한다.

제단 뒤의 황금빛 비둘기가 때마침 저녁 햇살을 받아, 제단 뒤가 찬란한 금빛이었다. 평일 미사임에도 8-10명의 성가대가 있었다. 파이프오르간과 성가대의 노랫소리와 정면 가득한 빛에 경외로운 느낌까지 들었다. 정말 없던 신심도 저절로 생길 것 같은 미사였다(아래 사진 6).

머리에 꽃분홍 모자를 쓴 주교님과 보좌신부님이 미사를 주관하였다. 평일 미사를 주교님이 하시다니 놀라웠다. 하기야 교황님이 대장인 곳에서 주교님인들... 하는 생각이 들었다.

성당을 나와서 성 베드로 광장에서 본 성 베드로 대성당의 모습은 당당하기 이를 데 없었다((아래 사진 7). 바티칸 박물관과 성 베드로 대성당에서 그리고 성 베드로 광장까지... 바티칸에서 보낸 하루가 감탄의 연속이었다.

바티칸을 나와서 저녁을 먹고(제2장 03 로마 레스토랑 가이드편 참조) 앞으로 난 길을 따라 걸었다. 이즈음 석양을 배경으로 하는 성 베드로 대성당도 너무나 아름다웠다(아래 사진 8).

한낮의 이글대는 태양 빛 아래보다, 석양빛 아래의 성 베드로 성당이 더 자애로워 보였다. 이 길을 쭉 따라가면 천사의 성을 만난다. 석양빛에 취해서 천사의 성 야경까지 보고 돌아갔다.

1.쿠폴라입구의 매표소 2.이제부터 쿠폴라로 올라가는 계단 시작 3.중간층에서 만나는 노란 우체통과 기념품샵 4.쿠폴라 꼭대기에서 보는 성 베드로 광장의 모습! 천국의 열쇠 모양이다. 5.성 베드로 대성당의 발다키노 6.성 베드로 대성당에서 오후5시 평일미사를 보았다. 7.성 베드로 대성당의 정면 8.석양을 품은 성 베드로 대성당의 모습

02 예수님의 말구유 조각이 있는 산타 마리아 마조레 대성당

로마에 도착해서 가장 처음으로 간 성당이다. 테르미니역에서 트레비 분수 가는 길에 만날 수 있다. 바티칸 소속으로 성 베드로 대성당, 산 조반니 인 라테라노 대성당과 함께 3대 대성당 중 하나다.

바티칸 소속 성당은 성당 정문에 교황청의 문장이 박혀있다. 삼중관에 두 개의 십자가가 크로스로 되어 있는 문장이 성당 입구에 박혀 있으면 바티칸 소속이다(10 **로마 성당 총평** 사진 참조). 로마 시내의 좀 멋져보인다고 하는 성당에는 거의 다 이 문장이 박혀있다.

산타마리아 마조레 대성당은 대성당답게 규모가 상당히 크다. 성당 앞에는 오벨리스크가 세워져 있고 성당 뒤편에는 첨탑도 있다. 정문으로 들어갈 수 있는 계단 앞을 펜스로 막아서, 금속 탐지기같이 보이는 게이트를 통과해야 하게 되어있다(아래 사진 1).

가방 검사도 한다. 좀 형식적으로 보이기는 했다. 언제부터 이렇게 대성당에도 금속 탐지기가 설치된 것일까? 점점 못 믿는 사회가 되어가는 게 아닌가 하는 씁쓸한 마음이 들었다.

테러가 주로 사람들이 많이 모이는 종교시설에서 일어나다 보니 안전을 위한 금속 탐지기 설치를 뭐라고 할 수도 없다.

들어가면 양쪽에 죽 도열하고 있는 기둥들과 금박으로 번쩍이는 천장에 일단 탄성이 나온다. 중앙 광장뿐 아니라 양쪽에 있는 예배당들도 특색이 있다. 산타 마리아 마조레 대성당의 핵심은 지하로 내려가면 만날 수 있는 예수의 말구유 조각이다.

여기는 아무 정보 없이 온 사람이라도 그냥 지나칠 수가 없다. 일단 사람들이 그 앞에 항상 있다. 기도하고 있는 사람들도 많다. 불을 환하게 켜놓아서 눈에 띈다.

초기 기독교 신자들이 성지순례 때 가져왔다는 예수의 말구유 조각이 크리스털 항아리에 보관되어 있다. 금박의 크리스털 항아리가 번쩍여서 무엇이 그 말구유 조각인지 언뜻 봐서는 잘 모른다.

눈을 크게 뜨고 자세히 보면, 크리스털 항아리 안쪽에 나뭇조각이 보인다. 예수님이 마굿간에서 태어날때 누웠던 그 말구유의 조각이란다. 이걸 빼앗긴 예루살렘은 얼마나 속상했을까? 하는 생각도 잠시 들었다.

5개의 향로가 천장에 매달려 있고 그 앞에는 그 말구유를 바라보고 있는 신부님 동상이 있다. 그리고 그 위로 바로 발다키노와 제단이 있다(아래 사진 2). 지하층 신부님 동상에서 앞과 위를 바라보면 왠지 모르게 경건한 마음이 든다.

앞에는 아기예수님이 누우셨다는 말구유 조각(아래 사진 3)이 내 눈앞에 놓여있고, 위로는 교황님이 미사를 드린다는 발다키노가 있다. 그 너머로는 금박으로 번쩍이는 예수님과 성모마리아의 그림이 있다. 왠지 헌금하고 싶은 마음이 들었다.

이번 여행에서 '발다키노'가 뭔지 알았다. 성당에 다니다 보면 어떤 성당은 제단 앞에 4개의 기둥과 지붕이 있는 구조물이 제단 앞에 있는 것을 보게 된다.

캠핑 갈 때 햇빛 가리려고 펼치는 캐노피같이 생긴 저게 뭘까? 왜 있는 걸까? 어느 성당에는 있고 어느 성당에는 없고... 그 이유는 뭘까? 궁금했었다.

내친김에 찾아보니 '덮개'란 뜻의 발다키노는 대성당 정중앙에 위치한 거대한 제단이다. 교황만이 미사를 드릴 수 있는 교황만의 제단이다. 즉 발다키노가 있다는 것은 교황이 미사를 드리는 성당이라는 뜻이다. 그래서 특별한 성당에만 발다키노가 있다.

제대 쪽은 그 화려함과 정교함에 눈이 휘둥그레진다(아래 사진 4). 정말로 눈이 커졌다. 빈 공간은 허용하지 않는 듯하다. 모든 공간에 조각과 그림이 조화롭게 배치되어 있었다. 작품 속에 들어와 있음이 느껴졌다.

너무 아름다워서 사진도 동영상도 많이 찍었다. 나중에 보니 사진과 동영상으로는 그 아름다움과 공간감을 표현하기에 아주 부족했다. 사진 속 비슷비슷해 보이는 그림과 화려한 벽면이 무미건조한 표정으로 나를 보고 있었다.

직접 가보지 않은 곳이었다면 별 감흥이 없었을지도 모르겠다. 산타 마리아 마조레 대성당은 로마에 와서 처음으로 눈과 마음에 담은 성당이라 모든 곳이 기억에 남았다.

1.산타 마리아 마조레 대성당의 정문. 펜스가 쳐있고 금속탐지기를 거친후 들어갈수 있다. 2.지하층에는 크리스탈 항아리에 담긴 예수님의 말구유 조각이 있고 그 위층에는 발다키노가 있다. 3.크리스탈 항아리에 담긴 예수님의 말구유 조각 4.화려한 장식과 그림으로 채워진 제대의 모습

03 오벨리스크 업은 코끼리가 지키고 있는 산타 마리아 소프라 미네르바 성당

판테온 근처에 산타 마리아 소프라 미네르바 성당이 있다. 이 성당을 알고 찾아간 것은 아니다. 가다 보니 코끼리 등위에 오벨리스크가 있길래(아래 사진 1) 신기해서 가까이 가 보았다.

그리고 그 앞에 성당 문이 열려 있어서 들어가 보았다. 이게 웬걸! 지금까지 보았던 성 베드로 대성당이나 산타 마리아 마조레 대성당과는 달리 천장이 금박이 아니라 파란색에 금색 별무늬와 천사 그림이 있다(아래 사진 2).

여기는 뭐지? 하고 찾아보니 산타 마리아 소프라 미네르바 성당이다. 이 성당은 미네르바 신전 위에 지어진 성당으로 '미네르바 신전 위의 산타 마리아 성당'이라고 불린다.

성당 앞에 있는 '오벨리스크를 업은 코끼리'는 베르니니가 설계했다고 한다. 왜 하필 코끼리일까? 궁금해졌다. 힘과 지혜를 상징하는 코끼리가 미네르바 여신과 잘 어울린다고 생각해서 코끼리 위에 오벨리스크를 얹었다고 한다.

파란 천장은 천국을 상징한다. 이 성당의 특이점은 성녀 카타리나의 묘가 있다는 점이다. 갑자기 사람들이 제단 쪽으로 몰려가길래 뭔가하고 가 보았다.

제단 아래에 불이 켜지고 그 안에서 누워있는 누군가를 발견하였다(아래 사진 3). 안내문(아래 사진 4)에 성녀 카타리나의 무덤이라고 되어 있다. 개방하는 시간이 정해져 있다.

성녀 카타리나는 왜 여기 누워 계신 걸까? 그 앞에서 너무 열렬히 기도하시는 분이 있어서 방해될까 봐 가까이 가보지는 못했다. 그 옆에 서 있는 성녀 카타리나에 대한 안내문을 읽어보고, 찾아도 보았다.

성녀 카타리나는 시에나에서 태어났으나 33세의 일기로 로마에서 생을 마감했다. 선종 후 산타 마리아 소프라 미네르바 성당에 딸린 묘지에 묻혔다. 무덤에서 기적이 일어난다는 보고가 있고 난 뒤 그녀의 시신은 이장되었다.

산타 마리아 소프라 미네르바 성당안 지금의 제단 아래로 모셔진 것이다. 그 후 카타리나 성녀의 유해를 두고 로마와 시에나가 분쟁을 겪게 되고 성녀의 목 부분만 고향인 시에나로 돌아와 성 도미니코 성당에 모셔져 있다.

이부분이 약간 무서웠다. 아마도 순교할 때 참수당해서 목 부분이 몸과 분리되어 있었지 않았을까 싶다. 죽어서도 몸과 머리가 따로 떨어져 있는 상태를 카타리나 성녀님은 어떻게 느끼실까?

주님 옆에 가셨으니, '까짓 몸이야 이런들 어떠하리 저런들 어떠하리'일까? '몸의 일부가 다른 사람들에게 주님의 영광을 알려주는 도구로 쓰일수 있다면 영광이다'로 생각하실까?

카타리나 성녀님은, 시신이 따로 떨어져 있는 것에 크게 신경 쓸 것 같지 않다. 그러나, 세상 평범한 사람인 나는 왠지 안돼 보였다. 그 앞에서 생각이 많아졌다.

코끼리를 따라서 산타 마리아 소프라 미네르바 성당에 들어왔는데 성녀 카타리나를 만나게 되었다. 스토리가 꼬리에 꼬리를 물고 진행되어 간다.

파란 천장의 산타 마리아 소프라 미네르바 성당은 뻔하지 않은 성당이었다. 성 베드로 대성당이나 산타 마리아 마조레 대성당같이 엄숙하고 종교색으로 가득 찬 성당과 달리, 좀 경쾌하고 신비스러운 분위기다.

로마는 성당마다 스토리가 있다. 마치 스토리 한두 개씩은 다 가지고 있는 거잖아요? 하는 것처럼 말이다. 로마 성당의 역사와 다채로움에 계속 빠져들게 된다.

사람이 많으니 주의하기를 바란다. 소매치기 조심만 하고 있었는데, 이 성당에서는 발을 밟혔다. 뒷걸음치면서 사진 찍고 있던 사람이 내 발을 밟았다. 앞뒤 좌우로 살펴야 하나 보다. 너무 새롭고 신기해서 잠시 넋을 잃고 주변을 두리번거리게 된다.

남편이 말하기를 완전 시골에서 상경한 사람 같았다고 한다. 나처럼 정신 못 차리고 사진 찍으며 돌아다니는 사람이 많이 보였다. 별 기대 없이 들어갔는데 보석을 발견한 것처럼 횡재한 느낌을 받은 성당이다. 아직도 산타 마리아 소프라 미네르바 성당의 파란 천장에 반짝이는 별이 내 가슴에서도 빛나고 있는 듯하다.

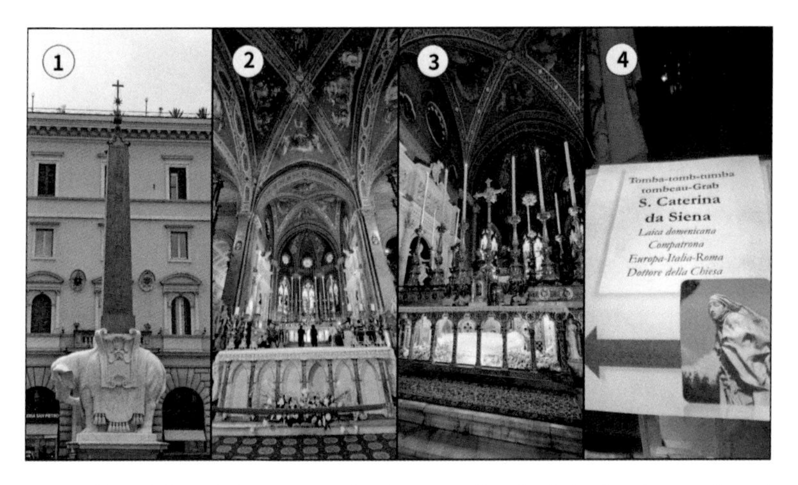

1.코끼리등 위에 오벨리스크 2.푸른 천장이 인상적인 산타 마리아 소프라 미네르바 성당. 제대 아래 카타리나 성녀를 모신 부분이 평소에는 이렇게 닫혀있다. 3.어느 시간이 되면 열리고 불이 켜진다. 4.카타리나 성녀의 시신임을 설명하는 안내지

04 나보나 광장에 있는 성 아그네스 인 아고네 성당

나보나 광장은 3개의 분수와 타원형의 트랙만으로도 멋짐이 묻어나는 곳이었다(아래 사진 1). 한쪽 가장자리 건물 외벽에 삼성 갤럭시 S 23시리즈 광고판이 보였다. 외관을 해치네... 광고비가 많이 들었겠네... 생각할수도 있지만 일단은 반가웠다.

일부러 그 광고판을 배경으로 사진도 찍었다(아래 사진 2). 해외에 나가면 나도 모르게 솟아나는 애국주의가 있다. 태극기, 한국 제품들을 보면 반갑고 어깨가 으쓱해진다. 애국가라도 듣게 되면 갑자기 눈물도 핑 돈다.

남의 이야기로 들을 땐 실감이 안 난다. '국뽕이네 뭐네' 해도 막상 나에게 닥치면 나도 모르게 그렇게 된다. 정말이다. 나보나 광장에는 3개의 분수가 있다.

로마에 오기 전에 본 영화 '천사와 악마'에서 나보나 광장의 분수가 범행 장소였다. '이 세 분수중에 어느 분수에서 일어난 일일까?'로 우리 셋은 한참 실랑이했다. 실랑이 속에서도 웃음이 나는 것은 우리가 공유하는 추억이 쌓이고 있기 때문일 것이다.

여행 가기 전에 여행지에 대한 영화를 보는 것은 그 장소를 맛깔나게 즐기기 위해 미리 살짝 숙성해 두는 것과 같다. 밀가루 반죽도 숙성해야 더 맛있는 빵이 된다.

마찬가지로, 여행지에 대해 공유할 많은 것을 미리 쌓고 가면, 현장에서 즐길 거리가 더 풍부해진다. 여행 가기 전에 특정 장소에 대한 정보를 얻을 수 있을 뿐만 아니라 현장에 가서는 영화를 본 기억이 더해져서 그 순간이 더 특별하게 느껴진다.

날씨가 좋아서 나보나 광장은 더할 나위 없이 청명했고, 누군가 연주하는 마림바 소리로 공기도 영롱했다. 사진찍는 사람들과 분수를 즐기는 사람들, 그리고 단체 관광객들로 나보나 광장은 북적이기 시작했다.

성 아그네스 인 아고네 성당은 나보나 광장이 트랙이었을 시절 관람석 자리에 세워진 성당이다. 4대 성녀 중 하나인 성 아그네스를 모티브로 하고 있다. 4대 성녀는 로마 박해 시절에 순교한 시칠리아의 아가타와 루치아, 로마의 세실리아와 아그네스다.

들어가는 입구에 이 성당에서 비발디의 사계 연주회가 열린다는 입간판이 서 있었다(아래 사진 4). 티켓을 팔고 있었다. 왜 여기서 '비발디의 사계' 연주회가 열리는지가 의아했다.

그 유명한 '사계'의 작곡가 안토니오 비발디도 이탈리아의 성직자였다. 가톨릭 사제이면서 음악가였다. 이탈리아에는 도대체 얼마나 유명한 사람들이 많은 걸까?

유명한 사람이다 싶으면 이탈리아인이 많다. 비발디뿐 아니라 레오나르도 다빈치와 미켈란젤로 등 그 이름을 대면 끝이 없다. 그만큼 학문적, 문화적으로 꽃피운 시절이 찬란했었다는 것을 말해준다.

지금 생각해 보니 이 음악회 티켓을 살걸 그랬다. 나보나 광장 앞에서 비발디의 사계를 듣는 또 다른 특별한 경험이 로마 여행을 빛냈을 텐데 싶어 아쉽다.

예기치 못한 일을 만나는 여행의 특별한 즐거움을 흘려버렸다. 마음의 여유가 없었던 듯 하다. 오늘은 어디 어디 가야지 하는 계획대로 움직이려다 보니 그렇다. 계획과 무계획의 조화! 그 균형을 잡는 것은 여전히 어렵다.

이 성당에는 성녀 아그네스가 순교할 때 발밑에서부터 불꽃이 올라와서 순교하는 장면의 조각(아래 사진 3)이 있다. 제단 앞에는 돌아가실 때 모습의 예수님 동상이 놓여있다.

누가 만들었는지 실제같이 리얼했다. 순교자와 죽음의 의미가 가득한 성당 안과 활기찬 사람들과 찬란한 햇빛이 가득한 성당 밖 나보나 광장이 문을 통로로 두고 서로 다른 세상 같았다.

1.나보나 광장 분수앞에 있는 성 아그네스 인 아고네 성당 2.나보나 광장의 분수 뒤로 삼성 갤럭시 폰 광고가 보인다. 3.성당 내부에 있는 아그네스 성녀의 순교 장면 조각 4.비발디 공연을 알리는 안내문

05 길 가다 우연히 만난 성 안드레아 성당

로마의 역사 지구 안에는 대단한 성당들이 문을 열어놓고 '픽미! 픽미!' 하면서 지나가는 사람을 부르고 있는 것만 같다. 이 성당은 길을 걷다가 열려있는 성당 문안으로 사람들이 드나드는 것을 보고 따라 들어갔다. 찾아보니 이름은 Basilica of sant'Andrea della Valle 다.

일단 성당이 크고 장엄해서 뭔가 중요한 성당일 것 같았다(아래 사진 1). 이름도 모른 채 들어간 성당의 이름은 제대 앞 그림에서 힌트를 얻었다. 큰 그림 속에 어떤 분이 X자 모양 기둥이 묶여있었다.

예수님은 십자가에, 베드로는 거꾸로 십자가에 묶여 돌아가셨다. '이 X자 모양은 뭐지? 이것도 십자가인가?'싶어서 자세히 들여다 보았다(아래 사진 2). 안드레아 성인이었다. 성 김대건 안드레아 성인을 주보 성인으로 모시는 곳이 많아서 안드레아 성인의 이름에는 익숙해 있었다.

이렇게 X자 모양 십자가에 돌아가셨다는 것은 처음 알았다. 이 X자 십자가가 안드레아 성인의 상징이다. 유럽인들은 철길에 길 건너지 말라는 표시판 'X자' 모양을 보고 '안드레아의 십자가'라고 부른단다.

예수님의 열두 제자인 12사도들은 각각 그들의 상징이 있다. 베드로는 열쇠를 들고 있고 안드레아는 X자 십자가를 들고 있는 것과 같다. 이 12사도와 상징은 산 조반니 인 라테라노 대성당에서 더 자세히 볼 수 있다(**제6장 07 산 조반니 인 라테라노 대성당** 참조).

성 안드레아 성당은 화려한 금박 프레임 안에 그림이 쉴 틈 없이 채워져 있다. 성경책의 내용을 그림으로 설명하려고 애쓴 티가 난다. 그러나, 그림이 너무 많으니, 역효과다. 무엇부터 보아야 할지도 모르겠고 피로감이 온다.

남편은 이렇게 그림이 빽빽한 곳을 볼 때마다 "여백의 미를 모르는 사람들이네"라고 말한다. 표현하고 싶은 내용이 얼마나 많았을지 이해가 되지만, 이렇게 가득가득 그려놓으니 크게 보고 싶은 마음이 들지 않는다.

'과한 것은 부족함만 못하다'는 말이 떠오른다. 그리고 제대 앞 가장 상징적인 그림 위에 ANDREAS라고 쓰여있다. 이렇게 이름도 적어두었는데도 찾아보고서야 이분이 안드레아 성인인 것을 알았다.

역시 모르면 옆 기둥이 이름을 적어두어도 모르는구나... 아는 것과 모르는 것의 한 끗 차이가 크게 느껴졌다. 일단 중앙에 있는 제일 큰 그림을 자세히 보고, 한 바퀴 돌면서 흥미가 가는 그림 위주로 보았다.

이렇게 내 맘대로 그림을 보고 있으니, 새삼 자유여행이 즐거워진다. 패키지 같으면 엄두도 못 낼 호사를 누리는 중이다. 내가 보고 싶은 것을 보고 싶은 만큼 볼 수 있다. 내가 원하는 장소에서 시간을 보낼 수 있다는, 어쩌면 지극히 자연스러운 욕망을 만족시키는 것만으로도 자유여행은 즐거울 수밖에 없다.

우연히 만난 안드레아 성인은 이날부터 X자 십자가와 함께 내 맘에 들어왔다. 이렇게 순교하신 분이구나... 김대건 성인은 안드레아 성인의 어떤 면을 보고 세례명을 안드레아로 붙이셨을까? 잠시 두 성인을 위한 묵상의 시간을 가졌다.

1.우연히 만나 성 안드레아 성당 정문. 그냥 봐도 보통 성당이 아니라는 느낌을 팍팍 준다. 2.안드레아 성인의 순교장면 그림. X자형 십자가에서 순교하셨다고 전해진다.

06 진실의 입이 있는 산타 마리아 인 코스메딘 성당

로마에 와서 진실의 입을 안 보고 가면 왠지 뭔가를 빼먹은 느낌이다. 진실의 입에는 강의 신 홀로비오의 얼굴이 조각되어 있다. 진실을 말하지 않으면 홀로비오가 손을 잡아먹는다는 전설을 바탕으로 했다.

영화 '로마의 휴일'로 유명해진 진실의 입 앞에는, 입안에 손을 넣고 사진을 찍으려는 관광객들로 항상 북적인다. 우리가 갔을 때도 줄이 길었다. 그 긴 줄에 서 있기 싫어서 아이디어를 냈다. 셀카봉을 쭉 빼서 진실의 입을 찍어서 사진으로 봤다.

앞에 사람이 많아서 안 보이던 진실의 입이 보였다(아래 사진 2). '아~ 이렇게 생겼구나'를 보고 안으로 들어갔다. 줄은 안 서기로 했다. 이번 여행에서 셀카봉이 300퍼센트로 활약 중이다. 셀카봉은 되도록 길고 가벼운 것으로 꼭 준비하길 강력히 추천한다.

이 성당은 헤라클레스 신전의 폐허 위에 세워졌다. 처음부터 성당으로 건축된 곳과 신전이 성당으로 용도 변경된 곳은 내부가 아무래도 다를 수밖에 없다. 들어가 보면 바로 알 수 있다. 제대 쪽은 비슷한데 기둥과 천장이 다르다. 우리가 흔히 아는 돔 형식의 천장이 아니다.

산타 마리아 인 코스메딘 성당은 건축상에 독특한 특징이 있다. 일단 건물 뒤편에 중세 시대 망루같이 생긴 첨탑이 있다(아래 사진 1). 예전 티베리누스 포구에 위치해 곡물창고로 사용되었다고 한다. 그래서인지 천장도 대들보 모습이 그대로 보이는 창고의 모습이다(아래 사진 3).

제대에는 나무로 만든 발다키노 같은 것이 있고 지하에는 Altare di Santa Cirilla가 있다고 한다. 요즘 로마에는 이렇게 지하에 있는 성인의 유해나 제단을 유료로 개방하는 곳이 많다.

진실의 입이 테베레강으로 흘러가는 하수구의 뚜껑이라는 설도 있다. '이렇게 크고 무겁게 생긴 하수도 뚜껑이라고?' 싶지만 그럴 수도 있을 것 같다. 로마에는 맨홀뚜껑과 하수도 뚜껑에도 장식이 있고 S.P.Q.R.이라고 새겨져 있다.

S.P.Q.R은 라틴어 문장 Senatus Populusque Romanus의 약자로, '**로마의 원로원과 시민**'을 뜻한다. 이 말은 고대 로마 공화정의 정부를 이르는 말이었다. 로마에는 온갖 곳에 이 S.P.Q.R이 붙어있다.

성당에도, 유적에도, 길을 가다가 보이는 맨홀 뚜껑에도 로마의 상징처럼 붙어있다. 심지어 S.P.Q.R을 프린트한 기념품 티셔츠도 있다. 진실의 입이 워낙 유명하다 보니 이 산타 마리아 인 코스메딘 성당의 기념품가게에도 진실의 입 모형을 많이 팔고 있었다(아래 사진 4).

로마의 성당은 성당 내에 묵주같은 성물을 파는 매장에서 기념품도 같이 판다. 그리고 각 성당의 기념품점에서 파는것들도 어디서나 살 수 있는 것이 아니라 그 성당의 특징을 담은 것들을 팔고 있어서 구경하는 재미가 있다.

1.산타 마리아 인 코스메딘 성당의 외관 2.안에 들어가기 전에 왼쪽 벽에 붙어있는 진실의 입 앞으로 긴 줄이 있었다. 3.천장이 예전 창고일때의 모습을 보여준다. 4.진실의 입 기념품. 이 성당에 있는 기념품샵도 보는 재미가 있다.

07 모든 성당의 어머니인 산 조반니 인 라테라노 대성당과 스칼라 산타 성전

#여기는 필수코스다! 라테라노 대성당

산 조반니 인 라테라노 대성당은 로마의 남쪽에 있다. 역사 지구와는 좀 떨어져 있어서 일부러 라테라노 성당을 보려고 가야 하는 곳이다. 우리는 버스를 타고 갔다. 비가 오는 날이라 실내가 필요했고 이 라테라노 성당이 역사적인 곳이라 궁금했다.

만약 로마에서 성당 투어를 하고 싶다면 이 성당은 필수다. 정말 안 가봤으면 후회했을 정도다. 최초의 기독교 황제 콘스탄티누스 대제가 라테라노 궁전과 함께 만든 대성당이다. 성당 옆에 궁전이 있다.

버스 정류장에서 내려서 맨 처음 보이는 건물은 궁전이다(아래 사진 1). 라테라노 궁전은 현재 박물관이다. 라테라노 궁전은 로마 시대에 지어진 것으로 아비뇽 유수가 있기 전까지 1000년을 역대 교황들이 머물렀던 곳이다.

라테라노 광장에는 또 오벨리스크가 있다. 로마에는 13개의 오벨리스크가 있는데 라테라노 광장의 오벨리스크가 가장 크다고 한다.

여기 오벨리스크는 고대 이집트의 수도 테베의 암몬 신전에 있는 것을 가져왔다. 이집트 수도의 신전에 있는 오벨리스크를 가져왔다니! 전성기 로마의 활동 지역과 국력을 보여주는 상징물이다.

긴 궁전 건물을 따라 걸으면 성당 입구가 보인다. 성당 앞 광장에서는 무슨 행사를 하는지 커다란 앰프와 행사용 무대가 만들어져 있었다. 그리고 그 앞에는 경찰차도 와 있었다. 성당 내부로 들어가기 전에 금속 탐지기를 통과하고 가방 검사도 했다.

산타 마리아 마조레 대성당에 들어갈 때도 금속 탐지기를 통과했었다. 성당들도 보안을 강화하는 중으로 보인다. 라테라노 대성당은 로마의 3대 성당중 하나로 로마에서 가장 오래된 성당이자 '모든 성당의 어머니'다.

성당 안으로 들어가기 전 복도(아래 사진 2)에서부터 '여기는 대성당이다'라고 말하는 것 같은 규모다. 성베드로 성당보다 윗급이라더니 맞다. 그 규모가 엄청나다. 문 앞을 둘러보다기 눈에 띄는 것이 있었다.

옆에 이탈리아 단체관광객이 청동문 앞에서 설명을 듣더니 차례차례 청동문 앞의 한 장소에서 사진을 찍는다. '저기가 뭘까?' 하고 가 보니 성모 마리아가 아기 예수를 안고 있고 뒤에는 십자가에 매달린 예수님조각이 있다.

단체 관광객이 차례로 그 아기 예수의 다리를 손으로 잡고 사진을 찍고 있었다. 저기서 찍으면 뭔가 어떻다더라~는 설이 있는 것 같다. 여하튼 아기 예수의 다리를 잡는 것은 좋은 일 같아서 나도 찍었다(아래 사진 5).

알고보니, 이 문은 50년마다 한 번, 대 희년에만 열린다는 성스러운 문이었다. 역시 단체관광객이 사진을 찍는 장소는 남다른 의미가 있는 곳이다. 아기 예수님의 발을 만졌으니 좋은 일이 일어나리라 기대를 해본다.

안으로 들어가면 중앙제대 앞 2단의 발다키노와 양쪽으로 늘어선 12제자 조각상이 눈을 사로잡는다(아래 사진 3). 12제자의 이름이 조각상 아래에 써있다. 그리고 각각 제자들이 자신들의 이름표 같은 상징을 들고 있다.

옛날에는 문맹자가 많아서 글을 적어놓아도 못 읽으니, 상징이 발달했다. 여기 12사도들도 다 각자의 상징이 있다. 그런데 그 상징이 순교한 도구 (방망이에 맞아 순교했으면 상징이 방망이, 칼에 맞아 순교했으면 상징이 칼, 톱으로 순교했으면 상징이 톱... 이런식이다)가 많았다.

맨 앞에 있는 성 베드로는 주님에게서 받은 2개의 열쇠를, 성 안드레아 성당에서 본 성 안드레아는 X자형 십자가를, 요한복음의 저자인 성 요한은 종이와 펜을 들고 있는 식이다.

성 바오로는 참수당했던 칼을 들고 있고, 성 바르톨로메오는 살가죽이 벗겨지는 형벌을 받아 손에 살가죽을 들고 있다. 각 사도가 누구인지, 어떤 상징을 들고 서 있는지를 알아보는 것도 재미있었다.

2단 발다키노는 여기서 처음 보았다. 2층에는 성 베드로와 성 바오로의 상이 있고 성물(그들의 두개골과 최후의 만찬 식탁의 일부)을 보관하고 있다. 로마에서 많은 성당을 보고 이제는 별로 놀라지도 않을 지경인데도, 이 성당을 보고서는 입이 딱 벌어졌다.

발다키노 안쪽 뒤에는 딱 보기에도 범상한 의자가 중앙에 놓여있다. '교황의 의자'다(아래 사진 4). 교황으로 선출되고 나서 가장 처음 앉는 곳이다. 다른곳에는 없는 '2단 발다키노'와 '교황의 의자'까지 보고 나니 더욱 라테라노 대성당의 권위가 느껴졌다.

그 크기와 분위기에 압도당하고, 또한 화려함과 정교함에 시간 가는 줄 몰랐다. 역사 지구에서 좀 떨어져 있지만 버스를 타면 바로 앞에 내릴 수 있으니 꼭 가 보기를 권한다. 로마 3대 대성당은 성 베드로 대성당, 산 조반니 인 라테라노 대성당, 산타 마리아 마조레 대성당이다.

#무릎으로 올라가는 계단이 유명한 스칼라 산타 성전

라테라노 대성당의 맞은편에 보이는 스칼라 산타 성전은 무릎으로 올라가는 계단이 유명한 곳이다(아래 사진 6). 예루살렘의 본디오 빌라도 재판장에서 예수님이 처형을 선고받을 때 밟고 올라간 계단을 모신 성전이다.

기독교를 처음 공인한 콘스탄티누스 대제의 어머니 헬레나가 예루살렘에서 그 계단의 나무를 가지고 와서 돌계단 위에 나무를 대어 똑같은 계단을 만들었다. 산타 마리아 마조레 대성당에도 예수님이 태어난 말구유 조각을 가지고 와서 크리스털 항아리에 보관해 두었다.

강대국 로마가 전 세계에서 가져온 것들이 로마에 전시된 것을 보면 그 옛날 약탈의 역사를 보는 듯하다. 이집트에서도 그렇게 오벨리스크를 가지고 오더니 예루살렘에서는 예수님 관련 물품들을 수집했나 보다.

스칼라 산타 성전에 들어가면 2층으로 올라가는 2개의 계단이 눈 앞에 펼쳐진다. 둘 중 하나에 돈 받는 사람이 있고 그곳이 예루살렘에서 온 그 계단이다(아래 사진 7). 이 계단은 무릎으로만 올라야 한다.

많은 사람이 예수님이 밟고 올라간 28개의 계단을 무릎으로 오르며 기도드리고 있었다. 예수님의 고난을 묵상하며, 고행을 통해 자신의 죄를 참회하기 위해서 라고 한다. 생각보다 많은 사람이 무릎으로 28개의 계단을 기도하며 올라가고 있었다. 역시 신앙심으로는 못 하는 것이 없다.

보통 상황 같으면 이것은 벌칙이 아닐까? 돈도 내고 무릎으로 올라가야 하는데도 사람이 많았다. 그 계단을 무릎으로 올라가는 사람들의 마음을 유추해 보자면, 예수님의 고행을 몸소 느껴본다는 마음일 것이다.

그 옛날 예수님의 발이 닿았던 그 계단을 경배의 의미를 담아 무릎으로 오르고 있다는 사실 만으로도 마음의 벅참이 있을 것 같다. 그러나 나는 그 옆에 있는 일반계단으로 올라갔다(아래 사진 8).

무릎으로 계단을 오르면 무릎이 너무 아플 것 같았다. 2층에는 소 예배당이 있다. 스칼라 산타 성전의 핵심은 계단이어서 다른 부분은 크게 기억에 남지 않았다. 계단을 둘러싼 양쪽 벽과 천장도 정성스러운 그림으로 가득하다.

라테라노 대성당과 스칼라 산타 성전은 로마에서 성당 투어했다고 말하려면 꼭 들어가야 하는 필수코스다. 꼭 거기까지 가야 하나 싶을 수 있지만, 다녀와 보면 절대 실망하지 않을 것이다. 강력히 추천한다.

1.라테라노 궁전 2. 입구의 복도부터 웅장함으로 압도한다. 3.양쪽에 서있는 12사도 석상과 중앙에 있는 2층 발다키노 4.중앙에 교황의 좌석이 있다. 5.대희년에만 열리는 성스러운 문 6.스칼라 산타 성전 7.무릎으로 오르는 계단. 빨간 곳이 티켓 파는곳이다. 8.바로 옆에 있는 보통 계단. 이 계단도 올라가는 좌우 위쪽으로 그림이 가득하다.

08 산타 마리아 델리 안젤리 성당과 산타 마리아 델라 비토리아 성당

#산타 마리아 델리 안젤리 성당

산타 마리아 델리 안젤리 성당 앞에는 시원한 물줄기를 뿜어내고 있는 공화국 광장(아래 사진 1)과 타원형의 로마극장이 자리 잡고 있다. 로마에는 이렇게 둥그런 원형광장과 로터리가 많다.

택시 타고 공화국 광장을 돌면서, 이 '투박하게 생긴 건물은 뭐지?' 싶었었다. 이 건물이 바로 페허가 된 목욕탕 위에 세운 성당, 산타 마리아 델리 안젤리 성당이다(아래 사진 2). 다르ㄴ 성당과 외관이 많이 다르다.

저녁 6시 30분에 문을 닫는다. 좀 늦게 도착했다. 5월의 로마는 거의 7시까지 환해서 시간이 그렇게 흐른지 몰랐었다. 6시가 다 되어 들어가니 30분 남았다고 정리한다면서 빨리 보고 나가란다.

겉의 투박한 모습과 달리 내부의 금빛 찬란함에 다시 한번 놀랐다(아래 사진 3). 나와서 보니 여기에도 교황청의 상징(아래 사진 4)이 붙어있다. 웬만한 성당은 교황청 소속인 듯 하다.

#산타 마리아 델라 비토리아 성당

여기까지 온 김에 바로 지척에 있는 산타 마리아 델라 비토리아 성당도 가보았다(아래 사진 5). 여기도 문 닫을 시간이 다 된 것 같았다. 갈까말까 하다가 그래도 혹시 싶어 갔다. 마침 신부님이 성당 문 앞에서 신자와 이야기 중이었다.

옆에서 문 닫으려고 기다리고 있던 성당 관계자가 들어가 보라고 했다. 역시 미리 포기하지 말고 와 보니, 들어갈 수 있는 기회를 잡았다. 갑자기 '하늘은 스스로 돕는자를 돕는다!'가 생각났다.

천장 보수 중인지 천장 아래로 가림막을 걸어놓았다. 천사가 그려져 있는 그 가림막이 어찌나 주변과 어울리는지... 처음에는 성당의 일부인 줄 알았다. 역시 디테일이 살아있는 나라다!

이 성당은 레이스 천으로 기둥의 위쪽 테두리를 감싼 것같은 섬세한 장식이 인상적이다(아래 사진 6). 제단 정면에 있는 빛나는 흰 구름이 마치 그 곳에서 하느님이 지켜보고 계시는 것 같은 느낌이 들었다.

댄 브라운의 소설 '천사와 악마'를 영화화한 '천사와 악마'영화에 나와서 직접 보고 싶었던 '성 테레사의 환희'도 보았다. 미리 알고 가지 않았다면 그냥 성당의 장식 중 하나겠거니 하고 지나쳤을지도 모른다. 역시 아는 것이 힘이다!

나가면서 들어보니 신부님과 대화하고 있는 신자가 그냥 대화하는 것이 아니었다. 여기서 미사를 봤는데 가방을 옆에 놓고 성체를 모시러 다녀온 사이 가방이 없어졌다는 것이다. 소매치기는 장소를 가리지 않는구나!

성당 안에서도 소매치기하고 나서 고백성사하고 나간다는 이야기를 듣고 웃었는데 그 말이 사실인가보다. 테르미니역 근처 숙소로 돌아오는 길에 모세 분수를 만났다(아래 사진 7). 중간에 있는 사람이 모세라면 손에 들고 있는 것이 십계명일까?

테르미니역 광장 앞에 뜬금없이 신부님 청동 동상이 있다. 이분은 누구시길래 여기에 계시는지 궁금증이 발동했다. 요한 바오로 2세 동상(아래 사진 8)이다. 2011년에 설치되었다. 교황의 포용을 표현하고자 망토를 펼친 모양으로 제작되었다고 한다.

나는 동상 자체가 궁금해서 표정까지는 자세히 보지 않았었다. 그런데, 교황님의 표정에 인자함이 없어 보인다며 비난을 많이 받아서 2016년에는 전세계의 미움을 받는 공공 조형물 10위에 들어가게 되었단다.

동상 하나도 허투루 보지 않는 사람들이다. 표정과 망토의 펼침도 모두 다 신경 써야 하는... 그래서 걸작의 탄생은 신이 도와야 하는가 보다.

1.공화국 광장 2.산타 마리아 델리 안젤리 성당. 투박한 외관이 독특하다. 3.내부는 금빛의고풍스러운 분위기이다. 4.문위에 교황의 상징인 삼층관이 있다. 5.산타 마리아 델라 비토리아 성당 6.천장위 레이스같은 막이 쳐있는데 성당과 너무 잘 어울려서 성당의 일부인줄 알았다. 7. 산타마리아 델라 비토리아 성당 앞에 있는 모세분수 8.테르미니 역 앞에 있는 요한 바오로 2세 동상

09 꿩 대신 닭 산타 마리아 디 미라콜리 성당

이렇게 성당들을 많이 보았어도 못 봐서 아쉬운 성당이 있었다. 산타 마리아 델 포폴로 성당이 그 곳이다. 우연히 만난 성당에서 발견의 기쁨이 있는 것과 반대로, 가 보려고 생각했던 성당을 놓치면 좀 더 아쉬운 마음이 든다.

도착한 시간이 오전 10시쯤이었는데, 미사 중인지 문이 닫혀 있었다. 이 성당은 미사가 자주 있는지 문이 거의 닫혀있다. 보르게세 공원을 다 돌아보고 내려오는 길에 또 성당에 가보았다. 그때도 문이 닫혀 있었다.

이 성당에 들어가려면 미사 시간을 잘 확인하고 가는 것이 허탕 치지 않는 길이다. 허전한 맘으로 광장을 가로지르니 문이 열려있는 성당으로 사람들이 드나드는 것이 보였다(아래 사진 2).

광장 앞 쌍둥이 성당(실제로 똑같지는 않지만 거의 비슷하게 생겼다)인 산타 마리아 디 몬테산토(왼쪽) 성당과 산타 마리아 디 미라콜리(오른쪽) 성당중에 오른쪽 성당에 문이 열려 있었다(아래 사진 1).

산타 마리아 디 미라콜리 성당은 눈치로 알 수 있듯이 '기적의 성모 마리아 성당'이다. 팔각의 둥근 지붕으로 정면의 모습은 판테온의 모습과 흡사하다.

개인적으로 포폴로 성당 대신 들어가 보게 된 이 성당이 참 마음에 들었다. 꿩 대신 닭이라고 말하기엔 기대 이상의 평온함과 즐거움을 준 성당이었다.

금박으로 번쩍이고 그림으로 가득 찬 성당은 처음엔 입이 딱 벌어지지만 쉽게 지친다. 그런데 산타 마리아 디 미라콜리 성당은 화려하지만, 금박과 그림이 많지 않다. 건축 자체의 장식에 더 신경을 썼다. 내부가 화사하고 예뻤다(아래 사진 3).

이 성당에서 특이했던 점은 고백소의 모습이다(아래 사진 4). 신부님이 고백소 안에 계시면 보통 고백소 밖에 불이 켜진다. 또는 고백소의 불투명 유리 창문을 통해서 신부님이 안에 계시는 것을 알 수 있다. 그러면 고백하고 싶은 사람이 신부님이 들어가 계신 고백소에 들어간다.

그런데 여기의 고백소는 신부님의 모습이 그냥 밖에서도 다 보인다. 들어가는 사람 쪽만 문을 닫고 들어갈 수 있게 되어 있었다. 대화 내용도 밖에서 들릴 것 같은데, 좀 프라이버시 침해 아닌가 하는 생각이 들었다. 이런 고백소가 아직도 있다는 것은 뭔가 그 나름의 뜻이 있지 않을까 생각해 보았다.

1.포폴로 광장 중앙에 오벨리스크를 두고 왼쪽과 오른쪽으로 쌍둥이 같이 보이는 두 개의 성당이 있다. 그중 오른쪽이 미라콜리 성당. 2.미라콜리 성당에 문이 열려있고 사람들이 드나들고 있었다. 3.미라콜리 성당 내부. 단정하면서도 기품 있는 모습이다. 4.고백소. 신부님의 얼굴이 다 보이는 고백소가 특이했다.

10 로마 성당 총평

#개성있는 성당들의 집합소 로마!

로마에서 모두 10개의 성당을 보았다. 성당이 거기서 거기지...라고 생각할 수도 있다. 아니었다! 다 나름의 특징이 있었다. 성당도 로마 역사의 한부분으로 그 세월을 같이 헤쳐온 것이 보였다. 감히 그 특징들을 내 맘대로 나열해 보자면 다음과 같다.

1. 과거 신전들 위에 세워진 성당들인 산타 마리아 소프라 미네르바 성당과 산타 마리아 인 코스메딘 성당 : 과거 신전의 모습이 보였다. 지붕 양식이 독특하고 내부 모습도 전통적인 성당의 모습과는 달랐다. 스페인에서 이슬람 사원을 개조해서 성당으로 만든 것을 보았을 때 같은 크로스오버 적인 느낌이 났다.
2. 최초의 성당이자 아비뇽 유수가 있기 전까지 교황청이었던 산 조반니 인 라테라노 대성당은 교황들이 묵었던 라테라노 궁전과 더불어 초기 가톨릭의 위세를 보여주고 있었다.

3. 라테라노 조약으로 아비뇽 유수에서 돌아와 바티칸 땅을 약속받고 세운 성당이 성 베드로 대성당이다. 가톨릭의 부활을 꿈꾸며 성 베드로의 무덤을 반석으로 삼아 올린 성 베드로 대성당에서는 '전 세계 가톨릭의 중심은 여기다!'라는 자부심이 묻어났다.
4. 꿈에 나타난 성모 마리아의 계시를 받고 세운 성당이 산타 마리아 마조레 대성당이다. 말구유 조각이 있는 지하에서 위를 올려다보며 발다키노 위의 천장화까지 바라볼 때, 그 경건함이 배가 된다. 당시의 건축가들은 심리학까지 아우르는 천재가 확실하다.
5. 성당들을 많이 보다 보니 성당에 들어가자고 하면 남편이 '또 성당이냐?'라고 말했었다. 그러나 들어가 보면, 말문이 막힌다. 성당마다 고유의 특징이 있다. 지나가다 문이 열려 있어서 들어가도 '여기는 무슨 성당인데 이렇게 멋지냐?' 싶은 의문이 드는, 개성 있고 멋진 성당들로 가득했다.

로마를 걷다가 문이 열려있는 성당을 만난다면 들어가 보기를 권한다. 의자에 앉아서 잠시 쉬어갈 겸 들어가 보면 예상치 못한 보석을 만나는 여행의 묘미를 즐길 수 있을 것이다.

#로마 성당 정문 위의 표지판은 뭘까?

로마의 성당은 입구 위에 표지판이 붙어있는 곳이 많다. 석상으로 만들어진 표지판도 있고 칼라로 된 표지판도 있다. 내용은 삼층관과 그 삼층관을 크로스로 가로지르는 열쇠 2개다. 이 표지판이 '교황청 소속이다'를 말해주는 표식이다

삼층관은 가톨릭 교황의 관(모자)를 의미한다. 삼중관, 교황관으로도 불린다.둥근 모자위로 왕관이 3층으로 쌓여있다. 열쇠는 천국의 열쇠다.

이 삼층관과 열쇠는 바티칸 국기와 교황청 문장에도 그려져 있다. 위에서 돌아다녀 본 대부분의 성당에 저 문장을 볼 수 있었다. 이 교황청 문장을 알고 난 후부터는 성당만 보면 그 문 앞에 이 표시가 붙어있나 찾아보게 된다. (아래 사진 1,2,3)

#성당의 모든 부분이 무료는 아니다

로마의 멋진 성당들을 입장료 없이 모두 다 들어가 볼 수 있는 것은 정말 행운이다. 또 이런 점이 로마로 관광객을 끌어모으고 있다. 로마에서 이렇게 보고 나서 모든 성당은 다 무료인 줄 알았었는데 아니었다. 다른 곳은 성당 입장하려면 모두 입장료가 있었다.

이렇게 로마의 성당은 입장료가 없는데, 지하에 있는 성인의 유해나 제단을 보러 가는 길은 입장료를 받는다(아래 사진 4). 보통 4유로다. 이런 식으로 성당도 자체적으로 수익 창출을 하고 있었다.

수익을 얻기 위한 것인지 유적을 보존하기 위한 것인지 알수 없으나, 가는 성당 마다 이런 유료 안내문과 요금 받으려고 입구에 앉아 있는 사람들을 보니 '모든 성당 무료입장'의 의미가 좀 퇴색되는것 같았다.

1.성 베드로 대성당의 교황청 문장 2.산타 마리아 델리 안젤리 성당의 교황청 문장 3.산타 마리아 델라 비토리아 성당의 교황청 문장 4.지하에 특별한 무덤이 있으며, 입장을 원하면 티켓을 사라는 안내문구

제7장

이 곳만은 꼭 가보자!

로마의 핫플레이스

01 콜로세움과 천사의 성

#인증사진 필수코스

위의 두 곳은 입장유무와 관계없이 로마에 왔다면 꼭 들려야 하는 인증사진 필수코스다. 인증사진만으로 채워지지 않는 마음은 내부 입장으로 꽉 채울 수 있다. 콜로세움 앞에서도 좋지만, 콜로세움으로 가는 육교 위가 인증사진 명소라고 알려져 있다.

지하철 콜로세오 역에서 나와서 허겁지겁 가이드를 따라가느라, 이 육교 위의 사진 스팟을 놓쳤다. 콜로세움 앞에서만 찍었는데, 지금도 이 사진이 제일 뿌듯하다(아래 사진 1). 로마를 대표하는 건축물답게 로마 기념품의 50퍼센트 이상의 지분을 이 콜로세움이 가지고 있다.

항상 사람이 많으니 소매치기 조심해야 한다. 그리고 셀카봉으로 다른 사람을 칠 우려가 있으니 또한 조심해야 한다. 사람이 조금이라도 적을 때 가려면 아침 일찍 가기를 추천한다. 로마는 아침형 인간을 반기는 곳이다. 항상 사람이 많아서 아침 일찍 다니는 것이 사진찍기도 좋고 여유도 있다.

콜로세움 티켓은 포로로마노, 팔라티노 언덕과 같이 통합권을 구입하여야 한다(아래 사진 2). 미리 구매하지 않으면 들어갈수 없다. 꼭 미리 구매하기를 추천한다. 로마에 왔으면 콜로세움에는 한 번 들어가 보아야 하지 않을까?

콜로세움은 책에서도 보고 동영상으로도 보았지만 직접 보아야만 그 웅장함을 느낄 수 있는 곳이었다. 마치 큰 체육관을 카메라에 한번에 담기 쉽지 않은 것처럼, 콜로세움도 사진이나 비디오로는 그 느낌을 다 담을 수 없다(아래 사진 3).

드론으로 찍어야만 한 장에 다 담을 수 있을 것 같았다. 갑자기 드론을 배우고 싶어졌다. 여행을 다니다 보면 그 전에는 관심이 없었던 것인데 갑자기 확 관심이 생기는 것들이 있다.

스페인 여행에서는 스페인 광장에서의 기타 소리를 듣고 기타가 배우고 싶어졌었다. 일상의 루틴에서 벗어났을 때 비로소 새로운 것을 받아들일수 있는 여유가 생긴다. 여행을 통해 나도 모랐던 나의 관심사를 발견하는 재미도 쏠쏠하다.

콜로세움에서 포로 로마노로 가는 언덕길에 콜로세움 앞에서 본 콘스탄티누스 개선문의 작은 버전이 또 있었다. 이 개선문은 티투스 개선문이다(아래 사진 4). 포로로마노에 들어가면 또 하나의 개선문인 셉티무스 세베루스의 개선문이 있다.

개선문 세우는 것으로 자신의 치적을 과시하려고 했었나 보다. 콜로세움과 포로 로마노 현지 투어 후기는 **제5장 02 콜로세움 / 포로로마노 투어 편**을 참고하기 바란다.

#천사의 성 야경은 놓치지 말자!

천사의 성은 바티칸에 가는 길에 같이 들르는 것이 동선상으로 좋다. 바티칸에 먼저 가서 다 둘러보고 천사의 성을 보거나, 천사의 성 내부 투어를 하고 바티칸으로 가는 것도 좋다. 천사의 성은 저녁에 보기를 강추한다.

천사의 성 앞에 늦게 도착해서 내부 투어는 못 해보고 노을 지는 천사의 성 앞에 앉아 있었다(아래 사진 6). 저녁이 되니 사람들이 점점 많아지기 시작했다. 천사의 성 앞 다리에서 웨딩사진을 찍는 커플들도 여럿 보았다(아래 사진 5).

사진사와 결혼하려는 커플이 얼마나 심혈을 기울여 장소를 골랐을지를 생각하면, 웨딩사진을 찍는 곳은 인생 사진을 찍을수 있는 곳이 틀림없다. 가로등이 켜지니 천사의 성과 다리의 불빛이 테베레 강에 어른거리며 너무나 분위기 있는 곳이 되었다.

로마 야경투어에도 꼭 들어가는 야경 사진 스팟이다. 밤에 천사의 성을 지나는 루트를 짜서 꼭 한번 천사의 성 앞에서 야경사진을 찍어 보기를 추천한다(아래 사진 7). 천사의 성 야경을 안 보고 지나가면 무척 아쉬울거다.

유시민 작가의 '유럽 도시 기행'에 보면 천사의 성안 레스토랑에서의 점심이 무척 좋았다고 한다. 로마의 흥망성쇠를 바라보며 묵묵히 한자리에 서 있었던 고성에서의 식사는 어떨까?

알았다면 가보았을텐데... 안타깝게도 로마를 떠난 후에 이 레스토랑의 존재를 알았다. 트레비 분수에 던진 동전이 제대로 떨어져서 다시 로마에 가게 된다면 이 천사의 성 내부 레스토랑에 꼭 가보고 싶다.

1.콜로세움 앞 광장에서 본 콜로세움의 모습. 여기서 다들 사진 찍고 있다. 2.콜로세움 티켓 3.콜로세움 내부. 어떤 동영상으로 보더라도 직접 보는 것보다 못 하다는 것을 느낄수 있었다. 직접 보니 놀라웠다. 4.콜로세움에서 포로 로마노로 갈때 지나는 티투스 개선문 5.천사의 성 다리에서 어느 커플이 웨딩촬영중이다. 6.천사의 성 옆모습. 중세시대 성의 정취가 느껴진다. 7.천사의 성 야경. 야경이 포인트다. 밤이 되면 사람이 더 많아진다. 8.로마 냉장고 자석 기념품. 그림이 개성있고 예뻐서 한참을 보다가 몇 개 샀다.

02 퀴리날레 궁전과 트레비 분수

#퀴리날레 궁전은 정말 궁전인가?

퀴리날레 궁전은 로마의 일곱 언덕 가운데 가장 높은 퀴리날레 언덕 위에 세워진 궁전이다. 교황들과 이탈리아 국왕들을 거쳐 지금은 이탈리아 대통령의 공식 관저로 사용되고 있다. 이곳은 트레비 분수를 찾아가는 길에 지나게 되었다.

경비병이 지키고 있는 건물이 있고, 그 위로 이탈리아 국기와 유럽 연합기가 휘날리고 있었다. 이탈리아에 와서 유럽 연합 깃발을 가장 많이 본 곳이다. 여기는 시청인가? 생각했었는데 이탈리아 대통령의 관저였다(아래 사진 1).

우리로 치면 예전 청와대, 지금의 용산 대통령 관저 같은 곳이다. 우리나라는 대통령 관저 앞에 군부대가 지키고 있었던 것 같은데, 그에 비하면 경비병이 좀 소박하다. 우리나라가 분단국가라 더 경비가 삼엄한 걸까?

근처가 모두 관공서 지역인지 경비병이 지키고 있는 곳이 많다. 퀴리날레 궁전 앞 광장에는 오벨리스크가 서 있고 그 가장자리를 따라 아래로 주욱 내려가면 트레비 분수를 만날 수 있다.

#트레비 분수에서 사진 잘 찍기는 정말 어렵다

트레비 분수로 가는 길은 좁은 골목길이다. 골목길을 따라가다가 갑자기 넓은 광장이 나와서 보니, 사람들이 가득했다. 여기가 그 유명한 트레비 분수였다. 첫 느낌은 잠실 지하철역 롯데월드 입구에 있는 트레비 분수의 좀 더 큰 버전 같았다.

가까이 가보니 분수의 동상뿐 아니라 배경까지 규모가 커서 훨씬 시원스러웠다. 물이 콸콸 흘러나오는 모습이 움직이는 듯 생동감 있었다(아래 사진 2). 이래서 트레비 분수~ 트레비 분수~ 하는구나 싶다.

그 앞은 정신이 없을 정도로 많은 사람로 가득차 있었다. 사람이 너무 많았다. 재미 삼아 동전 던지기를 해보려고 트레비 분수 가까이 가는 것도 쉽지 않았다. 그래도 해보려고 했던 것은 다 해 보아야 나중에 후회가 없는 법이다. 용감히 돌진!

오른손에 동전을 쥐고 왼쪽 어깨 너머로 동전을 던지며 소원을 빌어야 이루어진다고 한다. 동전을 하나만 던지면 로마에 다시 올 수 있고, 두 개를 던지면 평생의 인연을 만날 수 있다고 한다. 간절한 소원이 있다면 동전 세 개를 한꺼번에 던지라고 한다.

이탈리아에서는 동전 세 개를 한 번에 던지면 이혼을 바라는 것이다. 이탈리아가 가톨릭국가라 이혼을 금지했기 때문에 이런 우스개 이야기가 있는 것 같다.

앞으로 조금씩 전진하며, 앞사람이 동전 던지는 것을 보고 있었다. 던진 동전중에 꽤 많은 동전이 트레비 분수로 들어가지 못하고 분수 밖에 떨어진다. 그러자 옆에 있던 사람이 잽싸게 그 동전을 주워서 챙기는 것 아닌가?

그러더니 그 동전으로 자기가 던진다. 이건 동전 재활용? 뭔가 여행의 낭만을 깨는 것 같은 행동에 잠시 어안이 벙벙했다. 낭만 파괴인지 실속 추구인지... 역시 하나의 사건은 양면이 있다. 우리도 던져보았다. 남편과 딸의 동전은 분수속으로 잘 들어갔는데, 내가 던진 것은? 모르겠다.

트레비 분수 안에 동전이 얼마나 많은지 그 맑은 물속으로 다 보였다. 수익이 얼마나 날까 궁금해졌다. 2019년 기사를 보니 트레비 분수에서 나오는 동전은 연평균 150만 유로(약 19억 3000만 원)란다.

1년에 19억이라니! 아무것도 하지 않아도 관광객들이 와서 동전을 던져놓고 가는 것이다. 역시 문화재에 스토리를 입혀야 한다. 우리나라도 문화재에 스토리를 엮어서 관광객들이 알아서 동전을 던져놓고 가도록 머리를 쓰면 어떨까? 이미 누군가 쓰고 있을 수도 있다.

로마시는 이 돈을 가톨릭 자선단체 카리타스에 기부해 왔으며 빈곤층 봉사에 사용해 왔다고 한다. 로마가 그 후로 로마의 재정난 타개를 위해 이 동전 수입을 문화재 보수유지와 사회복지예산으로 쓰겠다고 해서 난리가 났었다. 돈 앞에 싸움은 여기도 예외가 아닌듯하다.

사람이 많아서 트레비 분수 앞에서 사진을 잘 찍기가 어려웠다. 사람들에 가려서 트레비 분수의 물이 보이지 않았다. 뒤의 조각상만 보이던가 아니면 물만 보이던가 둘중 하나다. 너무나 멋진 트레비 분수 사진은 과연 어디서 찍은 것인지 궁금해졌다.

셀카봉을 최대한 길게 뽑고 사람들이 걸려서 다치지 않도록 조심하며 여러 각도로 찍어보았다. 좋은 각도를 찾느라 오래 들고 있다보니 셀카봉을 들고 있는 팔이 덜덜 떨렸다. 내가 찍은 트레비 분수 사진(아래 사진 2)에는 멋진 조각과 초록빛 분수물을 다 같이 잘 찍어보려고 노력한 흔적이 담겨있다.

1.퀴리날레 궁전. 2.트레비 분수. 사람이 너무나 많다. 드디어 '사진으로 보던 트레비 분수구나!' 하는 감격은 잠시이고 사람들에게 밀려서 사진 겨우 찍고 동전 던지고 나왔다.

03 캄피돌리오 광장과 비토리오 에마누엘레 2세 기념관, 그리고 스페인 계단

#지붕 위에 전차가 있는 곳, 비토리오 에마누엘레 2세 기념관

이 기념관은 로마 시내 어디서도 보이는 건물이다. 비토리오 에마누엘레 2세가 누구길래 이런 기념관을 세웠나 했더니, 이탈리아를 통일한 사람이다. 각각의 왕국으로 분열되어 있던 이탈리아를 통일하여 통일 이탈리아를 건국한 왕이다.

타원형으로 생긴 건물의 양쪽 끝에는 말이 끄는 전차가 조각되어 있고, 중앙에는 비토리오 에마누엘레 2세의 청동 기마상이 있다(아래 사진 1). 이 모양을 두고 로마 사람들이 '생일 케익이냐'라고 했다던데, 그 말을 듣고 보니 하얀 생일 케익 같다.

계단이 참으로 많은 곳이다(아래 사진 2). 여기에 간 날은 보슬비가 오는 날이었는데 운동화가 서서히 젖어 들어가는 것을 느끼며 계단을 하염없이 올랐다. 계단 중간쯤에 '영원히 꺼지지 않는 불'이 타오르고 있다.

이것은 1차 세계대전 당시 전사한 무명용사들을 기리기 위한 것이다. 갑자기 그 앞을 지키고 있던 군인들이 교대식을 한다. 계단을 올라가다 말고 그 교대식을 지켜보았다. 나름대로 절도 있는 동작으로 교대식을 한다.

주변에 계단을 오르고 있던 사람들 모두 교대식을 지켜보며 휴대폰으로 찍고 있었다. 성 베드로 광장에서 스위스 근위병의 교대식을 못 보았는데 여기서 뜻하지 않게 근위병 교대식을 보게 되었다.

계단을 다 올라가서 보면, 아래로 베네치아 광장이 보인다(아래 사진 3). 타원형의 광장 주변으로 시티투어 버스가 빈번히 다니고 있었다. 내부에는 통일 기념관과 예배당이 있다.

이 기념관의 계단을 다 올라가면 건물의 꼭대기로 연결된 엘리베이터가 있다. 엘리베이터를 타고 올라가면 Rome From the Sky라고 하는 유료 전망대가 있다. 엘리베이터를 타고 올라가는 유료 전망대의 비용은 32유로다.

로마의 전망대로는 보르게세 공원에 있는 핀쵸언덕(**제7장 04 포폴로 광장과 핀쵸언덕 전망대, 보르게세 공원, 캄포 데 피오리** 참조)과 대전차 경기장 건너편 아벤티노 언덕 전망대(**제7장 05 대전차 경기장과 아벤티노언덕 전망대, 비밀의 열쇠구멍** 참조)에가 보았다.

이 두 전망대에서 보면 로마를 서로 다른 방향에서 바라보게 된다. 핀쵸언덕은 북쪽에서 로마를 내려다보는 전망이고 아벤티노언덕은 남쪽에서 로마를 보는 전망이다. 서울도 남산타워에서 볼 때와 롯데월드타워에서 볼 때 서로 감상이 다른 것처럼, 두 전망대에서 볼때도 로마의 서로 다른 얼굴을 보게 된다.

한쪽 전망대에서는 로마의 오른쪽 얼굴을, 다른 전망대에서는 로마의 왼쪽 얼굴을 보는 것 같다고나 할까? 둘 다 전망이 멋지고, 무료다. 핀쵸언덕에서는 석양이 멋지다. 새로운 모습을 보여주는 로마가 더 매력적으로 다가온다.

#미켈란젤로가 설계했다는 캄피돌리오 광장

캄피돌리오 광장에 가려면 코르도나타 계단을 올라야 한다(아래 사진 5). 이 계단은 미켈란젤로가 설계한 착시 장치 때문에 언덕 위가 안 높아 보이는데, 실제로는 꽤 높다. 위로 갈수록 계단의 폭을 넓혀서 안 높아 보인다. 계단은 그 옛날 말을 타고 올라갈 수 있도록 계단사이의 높이가 낮다.

계단 위로 올라가면 조각상이 많다. 계단 양쪽에 있는 조각상은 카스트로와 폴룩스라는 쌍둥이다. 옆에서 보면 머리가 커 보이나 아래에서 보면 비례가 맞는다고 하는데, 아래에서 봐도 머리가 커 보였다. 위에 있는 많은 조각상의 뒤에는 S.P.Q.R. 이라는 로마의 상징이 딱 새겨져 있었다(아래 사진 4).

이 광장은 로마의 태동과 관련된 장소라 그런지 로마 건국 설화의 내용을 담은 동상이 있었다. 늑대 젖을 먹고 있는 로물루스와 레무스 동상이 그것이다(아래 사진). 쌍둥이 로물루스와 레무스가 늑대젖을 먹고 자라서 7개 언덕이 있는 이 곳에 로마를 세웠다는 건국 신화다. '로마'라는 이름도 '로물루스(Romulus)의 땅'이라는 뜻이다.

늑대젖을 먹고 있는 로물루스와 레무스 동상 사진

다리도 아프고 배도 고파서 앉을 곳을 찾아 헤매기 시작했다. 이 광장은 삼면이 건물로 둘러싸고 있다. 정면의 건물을 바라볼 때, 오른쪽 건물과의 사이로는 아래로 포로로마노를 내려다볼 수 있는 전망대가 있다(아래 사진 6). 왼쪽 건물과의 사이로는 벤치가 있는 작은 공원이 있다.

몇 개의 벤치가 있는데 이미 쉬고 있는 사람들로 거의 다 차 있었다. 벤치에 앉아서 가져온 샌드위치를 먹으려고 꺼내니 어디서 왔는지 비둘기들이 하나둘씩 모이기 시작한다. 샌드위치와 쌀과자를 먹는 동안 비둘기가 점점 더 많이 우리 앞으로 모인다.

다른 벤치 근처에는 하나도 없는데 우리 벤치에만 주변 비둘기가 다 모였다. 쌀과자를 조금 던져주니 서로 싸우고 푸드덕 날아오르고 난리가 났다.

‘역시 야생동물에게 먹이를 주지 마시오’가 정답이다. 이 언덕에서 많은 것들을 보았지만, 뒤돌아서니 가장 크게 기억나는 것은 내 앞에 모여든 비둘기였다. 역시 직접 경험이 가장 크게 기억에 남나 보다.

두 번째로는 늑대 젖을 먹고 있는 로물루스와 레무스 동상이다. 다른 곳에서도 이 동상을 보았을지도 모른다. 그러나, 캄피돌리오 광장에서 이 동상과 그 탄생 설화를 알게 된 후 비로소 이 동상이 눈에 들어왔다. 역시 스토리의 힘은 강력하다.

#감시자가 지키고 있는 스페인 계단

로마의 4월 말 5월 초는 학생들의 수학여행 기간인 듯하다. 이 스페인 계단에서는 특히 학생단체같이 옷을 맞춰 입은 아이들이 많았다. 스페인 계단은 스페인 광장에서 계단 위의 삼위일체 성당까지 이어진 135개 계단이다.

그 계단 근처에 스페인 대사관이 있어서 붙여진 이름이다. 계단에 앉아서 젤라또를 먹는 ‘로마의 휴일’의 앤 공주 이후로 이 계단에 앉아서 젤라또를 먹는 사람들이 많았다고 한다.

2019년부터 로마 경찰은 세계문화유산으로 등재된 스페인 계단과 주변 문화재를 보호한다면서 계단에 앉거나 눕는 것을 금지하고 있다. 우리가 갔을 때는 계단 위에 온통 커다란 꽃 화분이 있어서 걸어 다닐 통로 말고는 자리가 아예 없었다(아래 사진 7).

그런데도 어딘가 걸쳐 앉는 사람이 있을까 봐 감시자들이 눈을 부릅뜨고 있었다. 계단을 올라가며 사진 찍고 있는데 어디선가 날카로운 호루라기 소리가 귀를 찌른다. 꽃 화분 옆에 몸을 숨기고 살짝 앉아있던 사람에게 어떤 아저씨가 앉지 말라고 소리치고 있었다.

그러고 보니 계단의 중간중간에 이런 아저씨들(경찰 같기도 하고 잘 모르겠다)이 몇몇이 있다. 영화의 앤 공주가 된 듯이 스페인 계단에서 젤라또를 먹으며 낭만에 젖고 싶은 관광객에게 좀 너무한 것 아닌가 싶다.

스페인 계단 아래의 스페인 광장에는 큰 배 모양의 분수가 있다(아래 사진 8). 홍수 때 떠내려온 배를 모티브로 베르니니가 만들었다는 바르카차 분수다. 이 분수에도 동전이 많이 떨어져 있었다. 트레비 분수 이후로 분수만 보면 동전을 던지는가 보다.

위에서 내려다보니 스페인 광장에 사람이 엄청나게 많았다. 내국인 관광객, 학생 단체, 외국인 관광객까지... 5월 초인데 로마는 이미 관광객들로 가득 차 있다. 이런데도 아직 극성수기와 극극성수기가 아닌, 그냥 성수기라고 한다.

장미꽃을 들고 다니며 아무 말 없이 건네주는 사람의 장미꽃을 받으면 안 된다. 돈 달라고 한다. 바닥에 그림을 전시하는 것처럼 깔아놓고 있다가 밟으면 돈 달라고 하는 사람도 있다. 사람이 많은 곳에선 항상 조심해야 하는 것이 로마의 불문율이다.

스페인 계단 위로 올라가면 지하철 Spagna역이 있다. 지대가 높아서 여기로 들어가면 지하철 입구까지 엘리베이터를 타고 내려가야 한다. 사람이 꽉 찬 엘리베이터를 타면서, 코로나가 퍼졌다면 여기 있는 사람들은 다 걸리겠구나 싶었다.

그리고 이곳에서 코로나가 아닌 더 큰 일이 나에게 터졌다, **제 4장 03 지하철에서 대참사 발생** 편에 그 잊지못할 일을 실었다. 그 일 이후로 스페인 계단을 생각할 때면, 꽃과 분수가 있는 아름다운 기억과 사람이 많고 불쾌한 일이 일어났던 좋지 않은 기억이 섞여서 떠오른다.

여행도 삶과 같다. 좋은 일, 당황스러운 일, 힘든 일, 감동적인 일 등 인생의 모든 요소가 짧은 시간에 압축되어 일어난다. 매일 사건 사고와 새로운 자극 속에 지내다가 일상으로 돌아오면, 일상이 너무 밋밋하고 심심하게 느껴지기도 한다. 그래서 여행이 계속 끌리는가 보다.

1.비토리오 에마누엘레 2세 기념관 2.상당히 높다. 계단으로 중간 높이까지 올라갈수 있다. 꼭대기층 유료 전망대로 가는 전망 엘리베이터가 있다. 3.비토리오 에마누엘레 2세 기념관에서 내려다 보는 베네치아 광장. 4.캄피돌리오 언덕을 오르는 길에 본 S.P.Q.R 석판 5.캄피돌리오 광장의 입구에는 카스트로와 풀룩스의 동상이 있다. 6.캄피돌리오 언덕 전망대에서 보이는 포로 로마노 7.스페인 계단. 계단에 앉지 못하도록 큰 꽃화분이 가득 놓여있다. 8.스페인 계단에서 내려다 보이는 스페인 광장의 모습. 가운데에 바르카차 분수가 있다. 사람이 가득차게 많았다.

04 포폴로 광장과 핀쵸언덕 전망대, 보르게세 공원, 캄포 데 피오리 시장

#포폴로 광장에서는 군인 리크루트 중

포폴로 광장은 지하철 A선 Flaminio 역에서 내려서 조금 걸어가면 나온다. 갑자기 멋진 문이 나오는데 이문이 그 옛날 로마로 들어가는 입구였던 '포르타 델 포폴로'다(아래 사진 1). 아치형의 문 안에 라인이 있고 이 라인을 넘으면 비로소 로마다.

건널목을 건너 '포르타 델 포폴로'의 아치를 통과하니 로마 여행이 막 시작되는 것 같은 설렘이 느껴졌다. 포르타 델 포폴로를 통과해서 들어가면 포폴로 광장이 있고 그 옆에 포폴로 성당이 있다(아래 사진 4). 포폴로 성당은 미사 시간에는 문을 닫는다. 문이 계속 닫혀 있어서 아쉽게도 결국은 못 들어갔다.

광장에서는 시끌벅적한 음악 소리가 흘러나오고 있었다. 무슨 행사인지 군복을 입은 몸짱 아저씨들이 왔다 갔다 한다. 이탈리아 육군에서 리크루트 행사를 하는 중이었다(아래 사진 2). 군대 홍보 행사 중이다. 광장에 군인용품, 군대 천막과 무기들도 전시해 놓고 설명해 주고 체험행사도 하고 있었다.

갑자기 음악을 크게 틀더니 "아이들 모두 나와라!" 하고서는 율동도 하고 춤도 추고 흥을 돋운다. 행사장 밖을 따라 한 바퀴 돌아보았다. 앞쪽의 신나는 퍼포먼스와 달리, 뒤쪽에서는 다른 군인들이 진행 상황을 지켜보고 있었다.

이탈리아는 2005년 1월부터 그전 143년 동안 시행해 온 징병제를 폐지하고 완전 모병제로 전환되었다고 한다. 모병제이다 보니 군대의 이미지 개선과 홍보가 중요하다. '육군'이라고 프린트된 흰색 쫄쫄이 셔츠를 입은 몸짱에 잘생긴 군인들이 홍보중이었다.

이런 훈남들은 로마를 일주일 내내 다니는 동안 여기서 처음 봤다. 체험학습도 시켜주고 안내도 해주고 애들이랑 놀아주고 있었다. 이 모습을 보고 있으니, 모병제가 되면 군대가 권위주의를 줄이고 국민에게 더 다가가야겠구나 싶다.

#쏟아지는 자극 중에 한줄기 '힐링 타임' 보르게세 공원

포폴로 성당 옆의 길을 따라 사람들이 줄줄이 올라가길래 따라서 올라가 보았다. 핀쵸언덕이었다. 핀쵸언덕에 올라가서 보면 포폴로 광장이 눈앞에 시원하게 펼쳐지고 로마의 전경이 한눈에 들어온다(아래 사진 3).

포폴로 광장에는 오벨리스크를 중심으로 쌍둥이같이 생긴 성당이 양쪽으로 있고 그 좌우로 길이 뻗어져 있다. 마치 '세계의 중심은 이곳 로마다!'라고 말하듯이 포폴로 광장에서부터 길이 세 갈래로 뻗어나간다.

핀쵸언덕 위를 둘러보다가 지나가는 꼬마기차를 보았다(아래 사진 5). 꼬마기차의 노선도를 보니 이 공원을 한번 크게 훑고 지나간다. 보르게세 공원 투어다. 요금은 1인당 5유로이고 기사 아저씨에게 지불한다. 미술관으로 가는 사람도 많았다.

미술관 표는 매진이었다. 한 달 전쯤에는 예약해야만 들어갈 수 있다. 많은 사람들이 휴일이라 가족 단위로 슬슬 걸어 다니며 공원을 즐기고 있었다. 꼬마기차를 타고 바람을 맞으며 살랑살랑 다니니 관광객이 아니라 로마에 살고 있는 사람이 된 것 같은 기분이 들었다.

정말 온갖 탈것들이 보르게세 공원을 누비고 있었다. 1인용 자전거는 물론이고 4인용 가족 자전거, 골프카트와 조랑말까지... 이런 탈것들의 대여소가 곳곳에 있었다. 큰 도시에는 항상 공원이 있다. 뉴욕에 센트럴파크, 런던의 하이드파크, 그리고 서울에도 서울숲이 있는 것처럼 로마에는 보르게세 공원이 있다.

약 30분 남짓의 시간동안 꼬마기차를 타고 다니면서 본, 지나가는 사람들의 웃음, 자전거타고 가는 사람들의 신나는 함성, 초록 초록 나뭇가지들의 흔들림, 길가 매점에서 아이스크림 사달라고 할머니에게 조르는 아이까지... 그 평화롭고 친근한 모습이 마음에 푸근한 장면으로 남았다.

각자 자기만의 방식으로 휴일을 즐기고 있는 모습에서 화장을 지워낸 로마의 참모습을 보는 것 같았다. 관광객 맞이 일을 하는 로마가 아니라 가족과 쉬고 있는 로마의 모습을 우리도 같이 즐겼다. 너무 빡센 여행에 지친다면, 보르게세 공원 꼬마기차를 타고 한 바퀴 돌면서 힐링하는 시간을 가져보자.

#흥정해야 하는 로마 재래시장 캄포 데 피오리

새로운 곳에 가면 그곳의 시장을 구경하는 것만큼 재미있는 것도 없다. 그 동네에서 나는 과일 야채 먹을거리들 그리고 특산물과 기념품들을 구경하는 재미가 쏠쏠하다. 그래서 로마의 재래시장이라는 '캄포 데 피오리'에 갔다(아래 사진 6).

흐리고 비가 올 것 같은 날씨 때문인지 시장에 사람이 많지 않았다. 시장에는 야채 과일보다 파스타 면과 향신료, 트러플 오일, 리몬 첼로등을 파는 좌판이 많았다. 식품 말고도 기념품들도 팔고 있었다(아래 사진 7,8). 가게마다 서로 다른 것을 파는 것이 아니라 다 비슷한 것들을 팔고 있어서 좀 실망스러웠다.

그런데 놀라운 것은 그 좌판을 운영하는 사람들도 거의 비슷한 분들이었다. 이탈리아 사람이라기보다 인도 파키스탄 사람들의 느낌이 나는 상인들이 거의 비슷한 품목들로 좌판을 깔고 있었다. 흡사 같은 나라에서 이민 온 사람들이 비슷한 일을 하게 되는 것 같은 연결고리를 보는 듯했다.

중간에 리몬 첼로에 관심을 보이니 시식을 해보라고 한다. 리몬 첼로 말고 피스타치오로 만들 리몬 첼로 같은 것도 많이 팔고 있었다. 그리고 트러플 오일 잼도 팔고 있었는데 비스킷에 조금씩 얹어서 시식해 보라고 주었다.

리몬 첼로 작은 병을 세 개에 13유로 달라기에 10유로 달라니 안된단다. 그래서 알겠다 하고 가니까 잡더니 10유로에 가져가란다. '이건 뭐지? 흥정해야 하는 곳이네?' 흥정을 싫어하고 정가제를 좋아하는 남편과 딸은 마치 나와는 일행이 아닌 것처럼 멀직이서 지켜보고 있다.

이런 흥정을 할 때는 옆에서 도와주어야 하는데, 이렇게 흥정하기 시작하면 '난 일행이 아니오...' 하는 것처럼 슬슬 뒤로 빠진다. 정말 일행이 아닌 게 아닐까?

1.포르타 델 포폴로, 로마의 시작을 알리는 문. 아치형의 문 안으로 포폴로 광장의 두 성당이 보이는 모습에 감탄이 절로 나온다. 포폴로 광장에 간다면 이 각도에서 사진 찍기를 추천한다. 2.포폴로 광장에 이탈리아 육군의 군인 모집을 위한 텐트가 쳐 있었다. 3.핀쵸언덕에서 본 포폴로 광장의 모습. 이탈리아 육군의 리크루트를 위해 쳐놓은 흰 텐트가 없다면, 더 시원하고 웅장한 뷰 였을 것 같다. 4.못 들어가 봐서 아쉬운 포폴로 성당 5.보르게세 공원의 꼬마기차 6.캄포 데 피오리 시장 7.열쇠 기념품 8.캄포 데 피오리에서 파는 제품

05 대전차 경기장과 아벤티노언덕 전망대, 비밀의 열쇠 구멍

#전차가 달리지 못할 것 같은 대전차 경기장

이 대전차 경기장을 무대로 한 영화 '벤허'는 우리 아버지의 최애 작품 중 하나다. '벤허'를 어찌나 집에서 N차 관람을 하셨던지, 지나다니다 본 것만으로도 나도 몇 번은 보았다. 이 영화의 하이라이트는 아무래도 전차 경주 장면이다.

그 추억 속의 전차 경주를 머리에 떠올리며 대전차 경기장으로 향했다. 대전차 경기장은 여전히 발굴되고 있는 유적들 사이에 있었다. 긴 타원형의 운동장이었다. 그 운동장의 반 정도를 핑크리본 마라톤 행사 준비를 위해 막아 놓았다(아래 사진 1).

유방암에 대한 예방의식을 높이고 조기 검진의 중요성을 알리기 위한 핑크리본 마라톤 행사를 이 대전차 경기장에서 며칠 후에 한다고 알리고 있었다. 유적이라고 보존을 위해 모셔두는 것이 아니라 현실 생활에도 이용하고 있다는 점이 신선했다. 고대 로마의 대전차 경기장에서 핑크 리본 마라톤 행사라니 말이다.

대전차 경기장을 빙 둘러서 자동차 도로가 있다. 버스 정류장도 가까이 있고 대전차 경기장을 조망할 수 있는 전망대도 있다. 이 전망대에서 대전차 경기장을 보며 그 옛날의 전차 경주를 상상해 보았다.

#모르고 갔다가 만난 곳이 더 반갑다! 아벤티노언덕 전망대

대전차 경기장 옆 전망대에서 길 건너 편으로 사람들이 올라가는 것이 보였다. 장미정원으로 가는 길이다. 장미가 핀 걸까? 여기서 갑자기 에버랜드 장미정원이 생각나는 것은 뭘까? 역시 익숙한 것이 가장 먼저 생각난다.

장미정원으로 향했다. 가는 길에 엄청나게 큰 동상을 봤다. 로마에는 길에도 동상이 많다. 카이사르의 동상은 여기저기 서 있다. 높은 단 위에서 대전차 경기장을 내려다보고 있는 이 동상의 주인공은 누굴까?

Monument to Giuseppe Mazzini라고 한다(아래 사진 2). 로마 통일 왕국의 근간이 되었던 장군이란다. 이런 유서깊은 곳에 동상이 세워질 정도면 역사적으로 큰 업적을 남긴 사람임에 틀림없다. 광화문에 서 있는 이순신 장군 동상의 느낌이다.

제법 넓은 곳에 장미정원이 조성되어 있었다. 아직 장미는 피지 않았다. 이 장미 정원은 장미가 필 때 약 한 달 정도만 무료로 개방하는 곳이다(아래 사진 3). 내가 방문한 5월 1일에 개방은 했는데 장미가 아직 꽃봉오리인 상태였다. 서로 다른 품종의 장미들로 가득했다.

돌담길을 따라 한참을 걸어가면 오렌지 정원이 나온다(아래 사진 4). 오렌지 나무들은 많은데 오렌지가 열려있는 나무는 하나밖에 없었다. 늦여름에 오면 오렌지들이 주렁주렁 달려있는 것을 보게될까?

오렌지 정원 옆에는 산타 사비나 성당(아래 사진 5)이 있다. 그 옆 아벤티노언덕 전망대에서 보는 로마 시내 전경은 숨멎 그 자체였다. 성 베드로 대성당과 테베레강 그리고 로마 시내 전경까지 다~~ 보인다(아래 사진 6,7).

여기서 찍은 로마 전경 사진이 내가 만든 로마 포토 앨범의 표지가 되었다. 인생 사진을 건지고 싶다면 꼭 여기에 가서 찍어 보기를 강력 추천한다.

#더 이상 비밀이 아닌 비밀의 열쇠 구멍

대전차 경기장 건너편의 돌담길을 걷기 시작한 것은 비밀의 열쇠 구멍을 보고 싶어서였다. 돌담길을 걷는 동안 비가 추적추적 내리기 시작했다. 장미정원을 보고 오렌지 정원을 지났다. 산타 사비나 성당 옆 전망대에서 사진을 찍고 나서도 또 계속 걸었다. 끝까지 가니 산타 보니파시오 알레시오 성당이 나온다.

구글로 찾으니 Knight of Malta Keyhole이란다. 구글에도 나오는 곳이 비밀의 열쇠 구멍이라고? 몰타 기사국 수도원 정문의 열쇠 구멍이 바로 '비밀의 열쇠 구멍'이다. 그 열쇠 구멍을 통해 성 베드로 대성당의 모습이 잘 보인단다.

비가 오는 중에도 그 열쇠 구멍 앞에는 긴 줄이 있었다(아래 사진 8). 비 오는데도 이렇게 줄을 서는데 어떻게 '비밀'의 열쇠 구멍이란 말인가? 차라리 '대박 유명한 열쇠 구멍'으로 바꾸어야 하지 않나 싶다. 비도 많이 오고 줄이 너무 길어서 그냥 왔다.

1.대전차 경기장에서 핑크 리본 마라톤 행사 준비중. 2.Monument to Giuseppe Mazzini 3.장미정원. 아직 장미가 피지 않았다. 4.오렌지 정원 5.산타 사비나 성당 6.7.아벤티노언덕 전망대에서 보는 로마 시내 전경. 비가 와서 더 운치있었다. 8.줄을 길게 선 비밀의 열쇠 구멍. 비도 많이 오는데도 줄이 너무 길어 돌아갔다.

06 4전 5기 끝에 입성한 판테온

#예상치 못한 일은 항상 일어난다

드디어 판테온을 이야기할 때다! 판테온 앞을 거의 매일 지나갔다. 처음 3일 동안 판테온 옆 택시 승강장에서 우버를 불렀지만 못 타고 택시를 타고 호텔로 왔었다. 저녁에 판테온 앞을 지나니 문은 항상 닫혀 있었다.

판테온은 로마 야경 투어에서 꼭 가는 곳이다. 판테온의 야경을 직접 보는 것만으로도 설렜다. 환하게 불을 밝힌 주변 식당의 모습과 활기찬 사람들의 모습에 같이 기분이 좋아졌다. 3일 내내 보아도 야경이 매일 새로웠다(아래 사진 1).

이런 곳은 사람을 끌어당기는 매력이 있다. 판테온 근처 식당에서 저녁을 먹을까 해서 식당 추천을 부탁했다. 호텔 프런트에 있던 조르지오는 이쪽은 다 비싸다며 호텔이 있는 테르미니역 근처를 추천해 주었다. 역시 유명 관광지 주변 음식점이 비싼 것은 만국 공통인가보다.

토요일에 오전에 판테온에 도착했다. 사람이 구름처럼 많고 아무나 들어가지 못하도록 줄이 쳐져 있었다. 저녁에만 와봐서 낮에 저렇게 줄이 쳐져 있는 것을 몰랐던 것일까? 생각하며 가까이 가보니, **주말에는 예약제로만 운영한다고 한다.**

주말에는 사람이 너무 몰릴까 봐 예약한 사람만 들여보낸다고 써있었다. 이런 이야기는 들어본 적이 없었다. 그전에 로마 현지 투어 가이드들도 이야기해준 적이 없었다. 그 앞에 서서 상황 파악을 하고 있는데 뒤에서 다른 한국 사람이 하는 말이 들린다.

"그냥 줄서서 들어갔다가 나오는 곳이었는데 이런 예약제도가 언제부터 있었냐?"며 자기들끼리도 놀라고 있었다. '토요일과 일요일 이틀은 예약제니 못 들어가겠구나'는 생각이 스쳤다.

로마에서 6박 7일을 머물렀지만 토,일 빼고 남부 투어 빼면 4일 남는다. 이미 3일을 다른 곳에 갔다가 밤에 판테온 앞을 지나갔으니... 남은 날은 단 하루였다.

#판테온은 '천사의 설계'라고 극찬받을 만했다

로마에 일주일이나 있었는데 판테온을 못 본다는 것은 말도 안 되는 일이다! 그래서 단 하루 남은 날에 판테온을 꼭 보고야 말겠다는 비장한 마음으로 아침 일찍 떠났다. 9시에 문을 여는데 9시 20분에 도착했다. 줄은 있었지만 술술 들어갔다.

정문부터가 달랐다. 모든 신을 위한 신전이라는 판테온 이름에 걸맞게 모든 신을 모시기 위한 높은 기둥과 큰 문이 우리를 맞이했다. 그 문 앞에 서니 사람들이 모두 개미만 해졌다(아래 사진 2). 판테온 안에는 성스러운 곳이니 조용히 하라는 주의사항을 적은 안내문이 곳곳에 있었다(아래 사진 3).

영상으로 보았을 때보다 훨씬 넓었다. 거의 체육관 수준이다. 그런 넓은 곳의 벽면에 또 여러 작품이 있다(아래 사진 4). 정중앙에 뚫려있는 구멍으로는 비가 안 들어온다던데, 정중앙 구멍 아래 바닥에 배수구 같은 것이 있다(아래 사진 5).

'비가 들어오나보네?' 하고 의아해하고 있으니, 옆에서 설명하는 소리가 들린다. 판테온 문을 닫고 있으면 내부의 공기가 천장의 구멍으로 나가면서 비를 밀어내어 비가 안 들어온다. 그런데, 지금처럼 관광객이 쉴 새 없이 드나들어 항상 문을 열어놓으면, 공기 순환에 의해 비가 천장의 구멍으로 들어온단다.

아~ 그런것이구나... 중앙부분에는 조그만 배수구와 함께 좀 젖어 있는 것 같았고 지나다니지 못하도록 줄을 쳐 놓았다. 내부가 넓은데도 기둥 하나 없이 거대한 돔이 버티고 있다는 사실도 놀라웠다. 철골도 없이 시멘트만으로 이렇게 만들다니, 그 당시의 건축가들은 모두 천재였음이 틀림없다.

미켈란젤로가 '천사의 설계'라고 극찬할 만하다. 나도 같이 극찬했다. 판테온은 다신교인 고대 로마 사람들이 올림푸스의 모든 신에게 제사를 지내기 위해 만든 신전이다. 우리 미술 시간에 데생 석고상의 모델인 '아그리파'가 만들었으나 화재로 소실되고 재건된 후 교황에게 바쳐졌다.

그 후 순교자를 위한 성모 마리아의 성당으로 사용되었다. 둥근 벽을 따라 예수님의 일생을 그려놓은 십자가의 길 같은 부조가 있다. 또한 당연히 그림들도 있다. 인상적인 것은 라파엘로의 무덤이다(아래 사진 6,7).

라파엘로는 르네상스 시대를 대표하는 화가다. 바티칸 박물관에서 보았던 그림 '아테네 학당'에 자기 얼굴도 그려 넣었다. 죽기전에도 화가로 성공했는데, 사후에도 이렇게 유명한 곳에 누워 사람들의 관심을 여전히 한 몸에 받고 있다. 라파엘로는 관종이 아니었을까?

내부가 넓어서 다 돌아보는 데만도 시간이 제법 걸렸다. 뭐니 뭐니 해도 판테온 천장 중앙의 원이 가장 인상적이었다(아래 사진 8). 안과 밖을 연결하는, 지상과 천상을 연결하는, 인간 세계와 신의 세계를 연결하는 통로로 디자인한 것은 아닐까? 상상의 나래를 펼쳐보았다.

밖에서 보는 모습은 더 장관이다. 그리스 신전 양식을 딴 외형부터 감탄이 나오는데, 그 기둥 하나하나의 높이와 두께가 상상 이상이다. 그 옛날에 이렇게 길고 두꺼운 기둥들을 어떻게 만들어서 여기에 세웠는지... 콜로세움에 이어 다시 한번 외계인 건축설이 머리에 떠오른다.

건물이 워낙 커서 사진 한 장에 다 넣기가 쉽지 않다. 판테온 앞 광장에 분수대와 오벨리스크가 있다. 사람들이 앉아서 쉬고 있는 분수대가 있다. 여기서 사진을 찍으면 판테온이 잘 나온다. 광장 어느 곳에서 찍어도 오벨리스크가 겹치는데 여기 분수대에서 찍으니, 판테온의 위풍당당한 모습을 고스란히 담아낼 수 있었다. 판테온과 함께하는 인생 사진에 도전해 보기 바란다.

1.판테온의 야경 2.판테온 정문. 어찌나 높고 큰지 사람이 개미만 하다. 3.성스러운 곳이니 조용히 하라는 안내문 4.내부가 거의 체육관 수준으로 넓다. 5.판테온의 천장. 둥근구멍 바로 아래에 배수구 같은 구멍이 있다. 6.라파엘로의 무덤임을 알리는 안내문 7.라파엘로의 무덤 8.판테온의 천장 둥근 구멍

에필로그 | 로마 총정리

로마를 일주일 여행하면서 느낀 점을 총정리했다. 일주일은 길다면 길고 짧다면 짧은 기간이다. 얼마나 많은 것을 경험하고 느꼈는 지가 그 기간의 만족도를 좌우한다.

나와 우리 가족에게 일주일은 로마의 다양한 면을 흡수할 수 있는 버라이어티한 기간이었다. 이 책에서는 로마의 장단점을 솔직하고 리얼하게 다 까발렸다. 어떻게 받아들이는가는 읽고 있는 당신의 몫이다.

일주일 동안 느낀 로마는,

#발길 닿는 모든 곳에 매력이 넘쳤다

유럽여행은 성당 보러 가는 것이라는 이야기가 있다. 유럽 문화가 종교와 뗄수 없으며 어딜가도 궁전과 성당을 보러 간다. 그런 면에서 로마는 유럽에서 최고로 많은 볼거리를 품고 있다. 눈호강 제대로 하는 곳이다. 가톨릭의 심장인 바티칸 시티뿐 아니라 로마 자체가 다양한 성당들의 집결지다.

성당뿐만이 아니다. 한 때 유럽을 평정한 대로마 제국의 역사를 보여주는 웅장한 잔해가 우리를 역사속으로 끌고 들어가는 곳이다. 타임머신을 타고 과거로 돌아가보는 듯한 시간 여행까지도 가능하게 해준다. 상상력의 나래가 펼쳐지는 곳이다.

다양한 기념품들도 우리의 눈을 사로잡았다. 예쁜 디자인의 작은 기념품들이 지척에 깔려있다. 예쁜 것을 보면 솟아나는 엔돌핀이 하루에도 몇 번씩 솟아나서 즐거운 고민이 많았던 곳이다.

눈호강, 상상력, 엔돌핀 뿐 아니라 입과 위장까지도 만족시켜주는 곳이다. 향긋한 커피로 일단 아침을 시작한다. 담백하고 입에 착착 달라붙는 피자, 파스타, 고기요리 등으로 기분좋은 에너지를 얻는다. 화룡정점으로 스프리츠와 와인으로 하루의 긴장마저 다 흘려보내는 완벽한 매일을 선사해 주는 곳이다.

#로마의 과하지 않은 조화로움은 이탈리아 음식을 닮았다

나라마다 그 나라를 대표하는 맛이 있다. 우리나라가 매운맛이고, 미국이 단맛이라면, 이탈리아는 조화로운 맛이다. 굳이 말하자면 우리는 잘 쓰지 않는 쓴맛도 사용하는 나라였다.

우리나라는 매운맛을 평상시 김치 등으로 먹다 보니 매운맛에 익숙해져 있다. 그리고, 화끈하게 열심히 일하고 확 일어난다. 미국은 정말 이렇게 달아도 되나 싶은 디저트들이 너무 많다. 그만큼 단맛에 익숙해져 있다. 여러 이민자의 맛을 가장 강한 단맛으로 다 하나로 만들어 버린 것 같다.

이탈리아는 달고 짜고 신 맛뿐 아니라 쓴 맛까지도 일상인 나라였다. 그래서 음식 맛이 풍부하고 네 가지 맛의 균형점을 잘 맞추는 것 같다. 모두 간을 기가 막히게 맞추는 간잽이의 달인들이었다.

일단 매운맛은 거의 못 봤다. 짠 맛도 앤초비 피자에서 말고는 없었다. 여러 종류의 프로슈토와 햄을 먹어 보았지만 짜지 않았다. 딱 적당한 맛이었다. 낯선 맛은 스프리츠와 캄파리의 쓴맛이다.

단맛은 고급지게 단 맛이다. 설탕이나 감미료를 쏟아부어 만든 맛이 아닌, 과일이나 천연재료에서 나오는 은은한 단맛이다. 신맛은 발사믹 비네갈 정도의 맛이다. 전반적으로 맛의 밸런스가 좋았고 감칠맛이 풍부했다. 웬만한 식당은 다 맛있었다.

이탈리아 음식은 많이 가공하지 않고 재료의 신선한 맛을 살리려 한다. 치즈와 토마토소스가 신선해서일까? 눈앞의 화덕에서 구워내는 별다를거 없어보이는 피자도 쫄깃하고 맛있다. **로마는 재료 자체가 좋은 피자처럼 꾸미지 않고 담백한, 네 가지 맛이 조화를 이루는, 그런 이탈리아 음식을 닮았다.**

#완벽한 곳은 없다. 로마도 마찬가지다

로마에는 시에서 고용한 청소부가 없나? 싶은 생각이 들 정도다. 길에 담배꽁초는 물론이고 온갖 쓰레기들이 나 뒹군다. 전 세계에서 관광객이 물밀듯이 오는 도시를 왜 이렇게 밖에 관리를 못 하는지가 정말 궁금했다. 서울이 이랬으면 민원이 폭발했을 거다.

알아보니 이전에 어떤 로마시장이 로마를 깨끗하게 만들겠다는 공약을 걸고 당선이 되었으나, 모든 힘을 다해서 청소하다보니 청소부는 많이 필요하고 예산은 부족하고 다른 부서는 불평하고... 결국 흐지부지되었다고 한다.

로마를 떠나 이탈리아의 다른 도시로 넘어가니, 어디를 가도 로마보다 깨끗하고 쾌적했다. 그래서 로마를 이탈리아 여행의 관문으로 삼는 걸까? 이탈리아 모든 지역으로 관광객을 분산하기 위한 고도의 전략이 숨겨져 있는 것이 아닐까 하는 과도한 추측까지 해보게 된다.

한가지 더, 로마는 한국의 공중 화장실에 대한 고마움을 느끼게 해준 곳이다. 화장실문제가 이렇게 일상에 큰 영향을 줄 수 있구나도 체감했다. 화장실을 안가려고 물도 적게 먹고 음식점에 가면 무조건 화장실에 갔다. 그러니 숙소에 오면 참았던 갈증을 푸느라 물먹는 하마가 되었다.

#로마에 관광객이 없는 때는 언제일까?

아마도 코로나 기간이 유일하지 않았을까? 4월 말 5월 초는 관광 시즌이 막 시작되려고 하는 때인데도 관광객이 너무나 많았다. 현지 관광 가이드에 따르면 로마는 성수기-극성수기-극극성수기라고 한다. 항상 성수기라는 뜻이다.

관광지마다 사람이 가득하고, 투어 티켓은 미리 사두지 않으면 안 된다. 극성수기와 극극성수기가 되면 사람들에 밀려다닌다. 전 세계에서 로마로 몰려오고 있다. 이렇게 가만히 있어도 사람들을 불러 모으는 마력은 뭘까?

사람들은 이탈리아 사람들이 조상 잘 만나서 유적들만 가지고도 먹고 산다고 말한다. 그러나 어떻게 보면 조상들도 후손 잘 만났다. 조상님들의 명성이 계속 빛날 수 있도록 후손들이 열심히 보존하고 수리하고 있으니 말이다.

조상과 후손 모두 잘해야 문화재가 빛난다는 당연한 진리를 보여주고 있다. 그런 면에서 이탈리아 국민들은 문화재에 대한 공감대가 잘 형성되어 있는 것 같다. 그러나 다른 면으로는 과거의 유물에 현재를 저당잡힌 것은 아닐까? 하는 생각이 들었다.

건물을 지으려고 땅을 파면 유적이 나와서 공사는 중단되고, 미술학도들은 실험적인 그림보다는 옛 문화재의 복원에 청춘을 바치고 있다. 과거의 영광을 재현하기 위해 현재의 발전을 미루어 두고 있는 것 같은 느낌도 받았다.

#개인적인 로마 총정리를 마치며

이상으로 로마에 대한 개인적인 총정리를 풀어보았다. 로마를 다녀온 사람이라면 공감하는 내용도 있을 것이다. 로마를 다녀올 사람이라면 '정말 이럴까?'하고 궁금할 수도 있다. 사람은 다 다르고, 같은 것을 보아도 다르게 느낀다.

나의 로마 여행기가 당신의 로마 여행을 더 풍부하게 해주는 감초 같은 존재가 되기를 바란다. 관광지 티켓 사는 법이나 여행지 가는 방법 등은 찾을 수 있는 경로가 많으므로 여기에 싣지 않았다.

6박7일 여행 다니면서 중간에 소매치기당해서 의기소침해진 나를 기운 내게 해주려고 애쓴 남편과 딸에게 고마움을 전하고 싶다. 17박 18일의 여행 전체를 통틀어 로마만큼 많이 걷고 다사다난한 곳이 없었다. 그만큼 서로 위로하고 보조를 맞추어 주며 같이 다니다 보니 가족의 끈이 더욱 단단해짐을 느꼈다.

여행은 나를 알아가는 과정이다. 평상시 늘 익숙한 행동을 하느라 몰랐던 나의 민낯을 발견하는 과정이다. 몰랐던 나의 흥미를 발견하기도 한다. 주변에서의 시선에서 벗어나 생각이 자유로울수 있는 시간이다.

또한, 여행을 하다 보면 같이 가는 사람의 진면목이 다 드러난다. 여러분도 나의 참모습을 나눌 수 있는 사람과 같이 여행하기를 바란다. 나의 모든 것을 알고 받아줄 수 있는 사람과의 여행을 통해 축약된 인생을 배울 수 있게 될 것이다.

끝으로 로마 여행기를 쓸 수 있도록 격려해 주고 용기를 북돋워 준 여행 메이트인 짝꿍 김경우, 딸램 김성민에게 고마움을 가득 전하고 싶다. 또한 항상 응원해 주시는 아버지 김신홍 님과 어머니 권희재 님에게도 다시 한번 감사드린다.

언제 이탈리아 여행기가 나오냐며 물어봐 주고 관심 가져 준 친구들에게도 고마움을 전하고 싶다. 여러분들의 관심과 채찍 속에 이탈리아 여행기 1부 로마 편의 집필을 무사히 끝낼 수 있었다. 이제 2부 '렌터카 타고 토스카나와 피렌체'편 집필 시이작!

2023년 김정연